D0126932

JORGE GÓMEZ JIMÉNEZ

UNO O DOS DE TUS GESTOS
Jorge Gómez Jiménez©

ISBN: 978-980-7375-59-7

Coordinación editorial
Roger Michelena @Libreros

Diseño y diagramación
Mariano Rosas @MarianoRosasE

Corrección
correcciondetextos.org @CorreccionT

Fotografía del autor
César Chiquito @cesarllovera

Fotografía de portada
Aglaia Berlutti @Aglaia_Berlutti

Primera edición mayo 2018

FB Libros: 58+424.1158066
ficcionbrevelibros@gmail.com

JORGE GÓMEZ JIMÉNEZ

Jorge Gómez Jiménez nació en Cagua, Aragua, en 1971. Edita desde 1996 la revista literaria *Letralia, Tierra de Letras,* primera publicación cultural venezolana en Internet. Ha publicado el libro de cuentos *Dios y otros mitos* (Venezuela, 1993), las novelas cortas *Los títeres* (España, 1999) y *Juez en el invierno* (Venezuela, 2014), la antología *Próximos* (narrativa venezolana, bilingüe chino-español; China, 2006), la novela *El rastro* (Argentina, 2009) y el poemario *Mar baldío* (Caracas, 2013), además de haber sido incluido en diversas antologías dentro y fuera de Venezuela. Entre otros reconocimientos, ha sido ganador del X Concurso Anual de la Universidad Central de Venezuela (Venezuela, 2002) y del Premio Nacional de Minicuento *Los Desiertos del Ángel* (Venezuela, 2012), y obtuvo menciones honoríficas en el XXIII Concurso de Relatos Ciudad de Zaragoza (España, 2005), en el V Premio de Cuento Policlínica Metropolitana para Jóvenes Autores (Venezuela, 2011), en el II Premio Nacional de Cuento Guillermo Meneses (Venezuela, 2012) y en el

X Concurso Nacional de Cuentos de la Sociedad de Autores y Compositores de Venezuela (Venezuela, 2016). Su revista *Letralia* obtuvo el Premio Nacional del Libro (Venezuela, 2007) y ha sido en dos ocasiones finalista, y una vez mención honorífica, en los premios Stockholm Challenge (Suecia; 2006, 2008, 2010). Textos suyos han sido traducidos al francés, inglés, italiano, catalán, esloveno y chino.

UNO O DOS DE TUS GESTOS

JORGE GÓMEZ JIMÉNEZ

CUNDINAMARCA

"Bajo en un momento", se oyó la voz de Marta en el auricular. Modesto colgó el teléfono y caminó hacia el puesto de periódicos de la esquina. Luego fue a sentarse con el diario, encendió un cigarrillo y ordenó un chocolate caliente.

El cielo estaba gris y el olor a tierra mojada inundaba la calle. Modesto se acomodó un poco más la chaqueta tratando de recuperar algún vestigio de calor. Soplaban lenguas gélidas de viento y la tardanza de Marta empezaba a impacientarlo. Sus ojos saltaban con insistencia de la página de avisos a la puerta del edificio de enfrente.

Dos niñas trataban en vano de atrapar una mariposa que saltaba sobre las flores del pequeño jardín escalonado del restaurante. De entre ellas surgió, cual aparición, la figura menuda de Marta coronada por su rotunda cabellera.

Aun si no la conociera, Modesto habría podido hacerse una idea bastante acertada de su personalidad sólo con observarla en ese momento. Sonreía; no llevaba reloj; las mangas del suéter estaban recogidas en confusos dobleces; no usaba maquillaje; cuando pasaba entre las niñas bajó la cabeza y de una de sus orejas cayó un bolígrafo que recogió con agilidad gimnástica.

Modesto apagó el cigarrillo a medio terminar.

Acompañaron el saludo con un beso corto y cálido. El mesero acudió, presto, y después de unos minutos regresó con la orden: otro chocolate para la dama. Tal como Modesto esperaba, ella derramó un poco en la mesa; se disculpó despreocupada, de cualquier manera, con una sonrisa.

—Pareces una niña —dijo Modesto mientras el mesero levantaba el vaso y enjugaba el líquido en un paño.

Un relámpago rasgó el cielo y las dos niñas corrieron con algarabía a una mesa donde dos señoras jóvenes tomaban café. Marta estiró las mangas del suéter y se encogió de hombros un instante, sonriente. Parecía no tener manos.

—Qué ojeras enormes —advirtió Marta frotándose las mejillas con las mangas del suéter.

—Pasé mala noche —respondió Modesto.

Marta cruzó las piernas mirando a las niñas. Modesto quiso saber la hora y levantó un poco el brazo; sus ojos repararon por un segundo en uno de los titulares del diario para olvidarlo al segundo siguiente.

—Ya ejecuté el plan —lanzó Modesto de pronto—. Anoche. O esta mañana, esta madrugada.

Marta se volteó hacia Modesto, boquiabierta, con las cejas arqueadas y los ojos a punto de salirse de sus órbitas. Sacó sus manos de las mangas y las puso sobre la mesa.

—¿Cómo?

—Esta madrugada. Por eso vine, vine a contarte, vine a buscarte.

Modesto trató en vano de esbozar una sonrisa sincera. Marta dejó de sonreír.

—Después de tanto tiempo... —dijo Marta, mirando la mancha de chocolate que formaba su propia nube sobre el mantel.

—Unos tres años —acotó él.

—¿Cómo fue?

—¿Cómo crees? —dijo Modesto encendiendo un segundo cigarrillo—. Mucho llanto, algo de súplica. Amenazas, también. Pero ya está terminado.

Marta sorbió un poco de chocolate y observó con desaliento el reflejo del tráfico en una ventana. No dijo nada. Modesto se impacientaba.

—Justo por eso compré el diario, revisaba los avisos en busca de un lugar donde podamos vivir por ahora.

—Nunca creí que en verdad lo harías —dijo Marta sin mirarlo.

Modesto soltó una gran bocanada de humo y pensó que por una vez no sabía cómo responderle a Marta. Las niñas empezaron a subir y bajar las escalinatas entre el restaurante y la acera.

—Pero lo hice —respondió Modesto intentando darle forma a la conversación—. Esta madrugada.

—Me voy a casar —cortó ella.

Una de las niñas se cayó y empezó a llorar. La otra la ayudó a levantarse y fueron juntas a la mesa de las señoras jóvenes. La niña mostraba una pequeña herida en el codo. Marta veía la escena con los labios entreabiertos.

—¿Perdón?

Marta volvió a mirar a Modesto a los ojos.

—Me voy a casar. Ya fijamos la fecha. El jueves de la semana pasada fijamos la fecha.

Modesto soltó el humo de repente e intentó de nuevo una sonrisa, pero sólo logró fruncir el ceño con extrañeza.

—¿El jueves? Pero si fue el jueves cuando fuimos al cine, llevabas ese mismo suéter. Esa noche llovió.

—Fue cuando llegué a casa. Él estaba esperándome y ya había hablado con mis padres.

—¿Tus padres? ¿Qué hacía allí tu papá? ¿No me dijiste que había dejado a tu mamá y se había ido a Cundinamarca?

Marta volvió a mirar a las niñas, que habían olvidado ya el pequeño accidente y jugaban alrededor de las señoras jóvenes.

—Era mentira —dijo con una voz muy baja, sin apartar sus ojos de las niñas.

Modesto estaba perplejo. Sentía cierta forma de asombro ante la escasa importancia que en ese momento parecía tener una mentira tan inusual.

—¿Con quién?

—Bonilla, el jefe del departamento —ahora sí miraba Marta, con las mejillas enrojecidas, a Modesto—. El próximo mes cumplimos tres años de novios.

Tres años. Días más días menos, recordaba Modesto, era el tiempo que tenía viéndose a escondidas con Marta. Para él era natural ocultarse, verse con ella de noche en sitios que no frecuentaría en circunstancias normales, para no toparse con algún conocido. Prudencia. Una centella de certezas atravesó el cerebro de Modesto: el ocultamiento era útil para él, pero no sólo para él. Ahora lo comprendía con los dientes apretados.

—Pero podremos seguir viéndonos —intentó él, con resignación.

—Me voy a casar —dijo ella en forma lapidaria.

Modesto acercó una mano hasta las de Marta, que había vuelto a mirar a las niñas. Ella la tomó entre las suyas, la apretó con suavidad y de inmediato la soltó para frotarse de nuevo las mejillas.

—Además, vivir con un asesino.

—Pero no la maté —dijo él, esperando de manera absurda que fuera esa su tabla de salvación—. Esa parte del plan me pareció truculenta, excesiva. Peligrosa.

—De todas formas. Ella está ahora un poco como muerta, ¿no crees?

Modesto asintió resignado. Acomodó lo que quedaba del cigarrillo en una pequeña resortera que formó con su pulgar y su índice y lo lanzó contra el piso. Las cenizas hicieron una suerte de fuegos artificiales antes de extinguirse.

—Pero podremos seguir viéndonos —insistió él, quedo.

Marta se terminó el chocolate con cierta prisa, se puso de pie y acercó su rostro al de Modesto. Acarició su mejilla, le dio un pequeño beso en los labios y le dedicó una rápida mirada que él quiso interpretar como afectuosa.

—Me voy a casar.

Dio un golpecito sobre la mesa y viró hacia la calle. Hizo un ademán a las niñas y éstas la despidieron divertidas. Modesto la observó cruzar a saltitos sobre los charcos que había dejado la lluvia de media tarde y sumergirse a través de la puerta del edificio de enfrente. El mesero parecía haber esperado a que ella se perdiera de vista para acercarse a la mesa.

—La cuenta —dijo él.

Después de pagar se levantó y se dirigió al puesto de periódicos con la intención de devolver el diario. Le parecía una idiotez echarlo a la basura.

—Cundinamarca —se dijo. Al fin y al cabo, un lugar no era una mentira tan importante.

El frío arreciaba y unas gotas gruesas comenzaron a caer. Modesto no tenía paraguas y prefirió quedarse con el diario.

AMALIA

Tras el segundo trago vi que por la puerta principal hacía su entrada la morena Amalia, una chica con la que en alguna época compartí una o dos materias en la escuela de derecho. Me saludó después de ser atendida, aunque me dio la impresión de que, como yo a ella, me había visto desde el principio; quizás ni siquiera tenía intenciones de saludarme.

Ni yo a ella.

Me hice esquivo a su mirada en un mero ejercicio de sondeo, y entre observar a la cantante, dibujar espirales en una servilleta y preguntarle al hombre de la barra por el costo de la vida se fue pasando el tiempo. Ella estaba sentada de manera que podía mirar alternativamente hacia la barra y hacia la puerta, por lo que deduje que esperaba a alguien sin demasiada convicción y yo representaba una potencial salida de emergencia.

Era por eso, deduje, que miraba también el reloj.

Durante un bolero la cantante sufrió un problema en la garganta que mantuvo la música en suspenso unos segundos. Ya habían pasado tres tragos de los míos, uno de los de Amalia, y ante su insistente movimiento de muñeca en busca de la hora decidí acercármele. La saludé y le pregunté, con la perfecta entonación de un conocido al que no se le conoce en lo absoluto, si había sido plantada. Después de admitirlo aceptó acompañarme a la barra, con la acotación de que no disponía de mucho tiempo; uno o dos tragos y se largaría.

La cacería, como todo arte, requiere de paciencia.

No era definitivamente hermosa, a la manera de esas mujeres a las que ves en la calle y su belleza te deja un poco triste por no tener siquiera el privilegio de que te devuelvan un saludo. Pero se podía estar con ella y hasta considerarla una hembra cabal, aunque su esfuerzo en las labores de maquillaje tuviera que ser más arduo que el de otras mujeres más agraciadas. Sus labios y sus pechos eran sus ases principales; quizás también su personalidad, lo cual no deja de ser secundario.

La personalidad también se maquilla, además.

Reímos un rato hablando de los tiempos de la universidad y de nuestros respectivos fracasos como pareja. Alrededor de los treinta son absurdas e irreales, o al menos sospechosas, las historias de felicidad, y si los viejos anhelos se convierten en frustraciones la incipiente madurez empieza su trabajo arrasando las heridas y reforzando los cimientos del cinismo. Rió también, no sin una pequeña amargura, del tipo que la había plantado aquella noche.

Era casado, por supuesto.

Y habló de sus pechos; confieso que fue entonces cuando empecé a considerarla una compañía interesante. Se comparaba con otras mujeres de su edad que habían engordado o envejecido, y cuyos pechos eran los primeros caídos en el combate contra el tiempo. Ella había sido aconsejada en la adolescencia por una tía que era modelo en la capital y con quien había aprendido dos o tres rutinas de ejercicios que la mantenían en la línea y con el frente erguido.

La tía murió drogada hace dos años, por cierto.

El hombre de la barra nos acercó un plato con unas pequeñas croquetas que Amalia no quiso probar. Mientras me las comía pensé en lo extraño que era sentir algo de hambre después de ese almuerzo de bárbaro, y por ahí fui conectando otros pensamientos cada vez más dispersos, hasta que me di cuenta de que había dejado peligrosamente de prestarle atención. Volví a ella. Estaba hablando de su interesantísima programación alimenticia y me sugirió que sustituyera los desayunos grasosos por fruta fresca, lo cual, según dijo, me haría más activo y resuelto.

Sentí ganas de orinar.

Justo en ese instante sonó su celular y decidí aprovechar la tregua. Le hice una seña para que me esperara un momento y me dirigí hacia el baño, oyendo a la distancia su voz respondiendo la llamada a través de la estridencia de la cantante. Mientras orinaba se formó un gas en mi estómago y lo dejé salir sin pudor, amparado en la discreción del baño. Me lavé las manos y, al querer secármelas, no encontré servilletas, por lo que tuve que frotármelas en la parte inferior del pantalón. Cuando regresé a la barra, Amalia me recibió con una sonrisa franca que agradecí con otra.

Sonó de nuevo su teléfono.

Antes de contestar me dijo que unos amigos la invitaban a una fiesta al otro lado de la ciudad; quería saber si prefería que se fuera o seguiríamos compartiendo. Me gustó que me preguntara, era como si me concediera la potestad de decidir el carácter de la noche, como si admitiera la primacía que le corresponde al macho de la especie. Opté por lo segundo. Respondió la llamada negándose con cortesía y hablamos con sutil seducción de lo bien que la estábamos pasando, de cuánta falta habría hecho una llamada como esa en la aburrida soledad del hogar un viernes desprevenido pero hoy para qué.

Amalia sonreía y un nuevo gas se formaba en mi estómago.

Renovamos los tragos y me pidió que le hablara de mis hijos; interpreté con verdadero histrionismo cierto discurso meloso, y sobre todo breve, que reservaba para esos casos. Ella sí habló largamente de su hija, y me contó del parto y las muñecas y las abuelas que la consienten y la malcrían. Un colega se acercó a saludarme y vinieron las presentaciones de rigor; al marcharse me dejó una tarjeta y yo me disculpé con Amalia señalándole el baño con un gesto.

Las noches serían perfectas sin la biología.

Ya en el baño, el sentido común me dijo que lo mejor era acabar sin demora con el origen de mis gases. Había dos cubículos; en ninguno de los dos encontré papel higiénico. Ya sabía que tampoco había servilletas. Sonreí frente al espejo y empecé a pensar en una posible solución. Se me ocurrió que en cualquier momento ella también tendría que ir al baño; entonces aprovecharía para tomar varias servilletas de la barra y guardarlas en mi bolsillo y problema resuelto.

Qué bueno ser sensato, frío.

La cantante empezaba a interpretar algo de los ochenta y Amalia retomó la conversación con un tono nostálgico, recordando lo que hacía en la época en que ese tema estaba de moda. Éramos ambos adolescentes y aún no nos habíamos conocido, por lo que las aventuras y el despertar de la picardía tenían un interesante matiz cromático. Le di pie a una distendida conversación para poder pensar con serenidad mientras los gases se agolpaban dentro de mí.

Me quejé del volumen de la música.

En la búsqueda de una solución hay que considerar todas las salidas posibles. Estaba seguro de que en unos momentos se haría insoportable esperar a que ella fuera al baño, así que tenía que descubrir una salida alterna. Sazoné mi rol de oyente con espaciadas y certeras interrogaciones acerca de su secreto para mantenerse lozana, tantas chicas que a su edad ya se habían amargado, marchitado; el plan en toda su extensión implicaba volverme abiertamente seductor para que no desencajara una eventual propuesta de ir a un sitio en el que la música sonara a un volumen que permitiera al menos hablar.

Y en cuyo baño hubiera visto antes papel higiénico.

Después de hacer un inventario mental de los sitios que reunieran ambas condiciones, y tomar la correspondiente decisión, se lo propuse con la mejor de mis sonrisas. Sentí algo muy similar al triunfo cuando ella asintió. El problema principal consistía en resolver lo de mis gases, pero ya Amalia me resultaba muy atractiva y, si además podía lograr algo con ella, tanto mejor. Hacía bastante tiempo que no miraba el reloj; la conversación estaba animada; su sonrisa la iluminaba desde dentro.

Pagué y nos fuimos.

Saliendo del local, un gas golpeó groseramente las paredes internas de mi estómago, aunque pude impedir que escapara. Llevaba a Amalia del brazo con delicadeza y ella notó cuando sufrí el pequeño descalabro; le dije que había pisado mal y le pedí que no se preocupara. En el camino me detuve en una gasolinera y, antes de bajarme, la miré; ella tenía las piernas cruzadas y sonreía y de pronto se hizo fácil captar que sí, que en verdad era bella, quizás porque era natural, fresca.

O quizás porque ya no tenía prisa.

Mientras el tanque se llenaba le pedí al muchacho que revisara el aceite. Con una serenidad ya no muy fácil de sostener me dirigí a la parte posterior del carro y abrí el maletero. Fingí buscar algo y, confiado en el fuerte olor de la gasolina, liberé uno de los gases, uno tan grande que tuve que ser precavido. Mi espíritu fue atravesado por una sensación de alivio tal que casi olvidé dónde me encontraba y estuve a punto de encender un cigarrillo.

Enjugué el sudor de mi frente con un pañuelo y pagué.

Amalia dijo que el sitio le gustaba más que el anterior, y me contó que había celebrado allí el cumpleaños de una amiga, varios meses atrás, junto con una banda de secuaces del trabajo. Nos ubicamos en la barra y ella me preguntó si era asiduo; cuando me disponía a contestarle, el barman me saludó por mi apellido; ella con una sonrisa se dio por respondida. Tratando de ser consecuente con el tono de la noche y el líquido saxo que desgranaba sus notas desde el escenario, brindé por ella y por su cabello aún sin canas.

Una gota de sudor bajó sin elegancia por una de mis sienes.

No quise apresurarme, pero estaba de verdad incómodo y, a mitad de trago, le pedí que me disculpara y fui al baño. De todas las situaciones molestas, la peor es confiar en los suministros de los baños de un sitio y encontrar que justo esa noche serían insuficientes. El papel que quedaba apenas me sirvió para enjugar el sudor de mis sienes. En circunstancias corrientes, podía haber ido a pedirle ayuda al barman, pero esto me habría obligado a delatar ante Amalia mi penosa condición. En definitiva no era una opción muy honrosa.

Las emergencias exponen la fragilidad de la honra.

Un pequeño ejercicio que hago desde niño con mis esfínteres logró retrasar mis premuras mientras pensaba en las opciones restantes. Podía utilizar mi pañuelo, pero de todas formas existía la posibilidad de que se hiciera insuficiente. Me di cuenta de que empezaba a desesperarme cuando revisé el largo de mis pantalones y me pregunté si Amalia notaría la ausencia de mis calcetines. Me tranquilicé un poco cuando el ejercicio hizo su efecto y redujo el bochorno a un largo y sonoro gas. Luego salí, esperando que un nuevo cambio de ambiente no sonara demasiado extraño.

A veces ocurren imprevistos.

Amalia lucía resplandeciente; me contó que también había ido al baño y se había retocado el maquillaje. Evalué el resultado con pretendida mirada de experto y ella sonrió. Dijo algo de los hombres que saben tratar a las mujeres y yo respondí algo igual de vago sobre cómo el simple retoque del maquillaje indica que una mujer sabe tratar a un hombre. Acaricié su cabello, negrísimo, y sonreí.

El beso ni siquiera nos sorprendió.

Fue un momento digno del saxo; sus labios avanzaban y se replegaban con algo de ritmo, como respetando el compás de la música. Abrí un poco mis ojos y disfruté el espectáculo de los suyos, que me miraban sumergidos en una tierna lujuria. Me solazaba palpando sus dientes, su paladar, cuando emitió un minúsculo gemido que habría sido imperceptible de no haber estado besándonos. Eso bastó para que todo mi torrente sanguíneo se concentrara en las regiones genitales de mi cuerpo y por un momento olvidé mi embarazosa emergencia.

Por un momento.

Separamos nuestros labios con lentitud, mirándonos con leves sonrisas que denotaban una incipiente y prometedora satisfacción. Suspiré, también lo hizo Amalia. Quizás creyó que yo era un tanto tímido cuando tomé su mano y notó que las mías estaban frías y húmedas de sudor. El beso, me dijo, había tenido un gusto especial; pensé que se trataba de un argumento, un artilugio femenino de cacería, y respondí en tono similar que siempre había querido besarla. Quiso entonces hacerme creer que no me creía.

Pretender es por excelencia la herramienta del flirteo.

La nueva situación presentaba la disyuntiva de que, dependiendo de lo que dijera o hiciera, podía resolver o empeorar de golpe mi problema. Si lograba convencer a Amalia de ir a un hotel, tendría ocasión de expulsar las molestias de mi cuerpo sin caer en el bochorno; pero si ella ponía reparos, corría el peligro de que la velada se alargara más de lo prudente. Con un discreto movimiento de piernas comprobé la tranquilidad temporal de mi organismo y decidí afrontar el riesgo.

Sin riesgos no seríamos más que juguetes.

Volví a besarla con afectado brío; Amalia pareció agradecerlo con otro gemido, más notorio y enervante. Su mano derecha acariciaba mi cabello con suavidad y la otra, más osada, recorría con cierta rudeza uno de mis muslos. Separándome, le dije con voz muy baja que su perfume tenía algo de luna llena; aguda, respondió que quizás le gustarían mis aullidos y mis dientes.

Mis intestinos atacaron una vez más.

Era ahora o nunca. Lamí su cuello con fiereza y toqué todo sobre y bajo su falda; Amalia aspiró un poco de aire entre sus dientes y volvió a gemir. Su mano izquierda olvidó la paciencia y pasó del muslo a mi furibunda entrepierna; su tacto cálido y ansioso arrancó, ahora de mí, un gemido, que ella acalló con un beso más violento y revelador. Entre suspiros y resoplidos nos dijimos algunas cosas inconexas que nos hicieron arder.

Avancé con paso firme y definitivo.

Le hablé de la imposibilidad de soportar un minuto más en ese sitio, lo cual era cierto por más de una razón, y ella asintió dándose un pequeñísimo mordisco en el labio inferior. Hice una seña al barman, quien en un instante me acercó la cuenta. Amalia tomó un poco de aire y me habló de confianza y madurez como un preámbulo para plantearme la pertinencia de una verdadera y satisfactoria privacidad que podríamos conseguir en su apartamento; su hija pasaba el fin de semana con los abuelos.

Eso sí era suerte.

No me permití demasiados juegos en el carro; la trémula promesa de aquel cuerpo hirviente, pero sobre todo el ya casi incontrolable estallido intestinal del mío, me sirvieron para interpretar con notable maestría el papel de un amante urgido. En el ascensor, libre al fin de inhibiciones, Amalia me oprimió, me arrinconó gimiendo y tocando a placer, besándome con un frenesí del que participaban labios y dientes, y lo hizo con tal fuerza que, en la cumbre del ansia, descuidé ciertos controles.

Qué vergüenza.

Un gas, inoportuno en su sonoridad, salió de mí enterrándome en el peor de los bochornos. Busqué en vano una forma de emerger de la situación sin perder el aplomo; sólo pude despegarme de ella y bajar la mirada. No dejó de sorprenderme que Amalia, sonriendo y acariciando mi rostro para levantarlo con suavidad, me preguntara qué me ocurría. Cuando le dije que era obvio, desestimó mi preocupación y propuso un convenio: no nos daríamos por enterados.

El ascensor llegó a su piso.

Amalia me llevó hasta su apartamento con una sonrisa diáfana. Mientras sus llaves abrían los cerrojos, condujo mi mano por superficies de su cuerpo que casi me apenaba tocar a causa del episodio en el ascensor. Entramos y, sin encender las luces, me hizo atravesar a tientas lo que creí era la sala de estar, y luego un pasillo. Traspusimos una puerta y al fin, en la oscuridad, se detuvo y me besó; su pasión no había disminuido un ápice. Reuní fuerzas; tenía que pedirle, antes de que empezara a descubrirme su desnudez, que me permitiera unos minutos para ir al baño.

Ella habló primero.

Me dijo que me esperaría en la habitación de al frente y, antes de salir, encendió la luz. Sentí náuseas a causa de la vergüenza: estaba en el baño del apartamento de Amalia. Cuando salí, sudoroso y aliviado, la hallé ansiosa, recostada en su cama, cubierta sólo por una bata que agregaba a sus inquietantes formas una textura especial. A través del fuego de la noche creí entender que Amalia se había dado cuenta de todo desde el principio, y agradecí su inimitable tacto.

Un tacto inimitable, en todo sentido.

AYER EMPEZARON LAS LLUVIAS

Ayer empezaron las lluvias. Es característico de la región que su llegada sea intempestiva; apenas la víspera se anuncian con el tono grisáceo que adoptan las nubes. De pronto el diluvio, como si el cielo tuviera alguna urgencia por tapizarnos. Semanas enteras de lluvia, apenas con algún día de tregua en el que sin embargo no dejan de sonar los truenos y las avenidas no terminan de secarse.

Irina aparece con media hora de retraso. Viene con unas cómicas botas amarillas y una bolsa negra en la que trae los zapatos altos, que se apresura a calzar. Le sirvo un café y le doy una toalla para que se seque antes de ir a su escritorio. Me cuenta de sus dificultades para llegar, la espera tensa en la parada del autobús, atenta a los carros que pasan peligrosamente cerca de los charcos, amenazando empaparla con el agua negruzca de las calles. Mientras se seca admiro sus piernas húmedas, sus senos tiernos de colegiala pegados a la ropa.

Suele darse cuenta cuando la miro. Con elegancia sigue conversando, pero esboza una sonrisa apenas perceptible. Parece sentir satisfacción por esos efímeros destellos de lascivia extraoficial que a veces me permito en horas de trabajo. Está bien para mí que Irina sólo sonría a medias y nada más. Quizás me incomodaría que se dirigiera a uno de los extremos predecibles, que me hablara de su vida privada para alertarme de los peligros a los que me exponen mis rápidos exámenes visuales, o propiciara mayores avances mencionando sin razón aparente que se aburre los viernes.

Me ayuda a poner un par de toallas en el borde de la ventana para contener la gota persistente que entra y moja la alfombra. Ríe, hace un par de comentarios sobre el frío y se marcha a su escritorio. Salvo alguna circunstancia más o menos extraordinaria, no volveré a verla hasta el mediodía. Sólo su voz se colará por el intercomunicador para avisarme de visitas y reuniones, para atender mis requerimientos.

El inicio de las lluvias confiere cierta tolerancia a las postergaciones, al menos durante los primeros días. Se prevé que algunos caigan enfermos, que florezcan los escollos en los caminos. Se consigna entonces pereza y permeabilidad a los compromisos, tornando el tiempo resbaladizo e imprevisible. Así, a la lectura de informes y la revisión de presupuestos se añaden saludables dosis alternativas de ocio puro.

El almuerzo se convierte en un interludio para comentar gélidas vaguedades con los colegas. Regreso con desánimo a la oficina y cambio las toallas de la ventana. Un agente comercial deja información que no me será útil hasta el mes próximo. Se disculpa por mojar la silla y se marcha. Me froto las manos y simulo trabajar; todos simulan trabajar. En el momento menos pensado el reloj avisa que podemos irnos. Irina entra a despedirse; estornuda, sonríe.

En la mañana suele el frío atascar los motores. Enciendo el carro, se apaga; vuelvo a encenderlo, se resiste. Al tercer intento empiezan al fin a desperezarse los mecanismos. Fumo mientras espero que el carro tome aliento. Pasa un vecino que da los buenos días y comenta algo acerca del río, que empieza como todos los años a crecer más allá de lo normal. Asiento aburrido y enciendo la radio para ahuyentarlo.

Coincido en el ascensor con Irina y sus botas amarillas. Su sonrisa y sus comentarios acerca de una avería en el calentador de su casa me abrigan dos, tres, cuatro pisos. Al salir del ascensor vuelve al tono habitual y me recuerda que llamará a la agencia para verificar la visita del ejecutivo a las diez de la mañana. La invito a que repita en mi oficina el ritual de las botas y fume conmigo ante la ventana. Una gota furtiva estropea su cigarrillo; le regalo el mío. Irina sonríe.

El hombre entra puntual a las diez, envuelto en una gruesa chaqueta y armado con los bocetos. Entre estornudos se apresura a explicar la estrategia y ruega en silencio una rápida aprobación. Irina le sirve un café, se sienta a su lado y toma nota de mis observaciones. Un trueno la sobresalta y el hombre le sonríe; trata de congraciarse. Al salir quizás intente adelantar alguna conversación con ella. Irina sonreirá y declinará con cordialidad como la he instruido. Irina siempre sonríe. Siempre.

Un colega alarma la conversación del almuerzo con la noticia de que una ciudad vecina ha sufrido inundaciones. Varias plantaciones arrasadas por el agua y una decena de familias al borde de la ruina. Otro habla de migrar como los gansos y respondemos con sonrisas frías e inexpresivas. Jamás podría alejarme del concreto, de los relojes. Un celular suena de pronto y todos volvemos la atención a nuestros platos.

Irina almuerza en su escritorio. Le pido que cuando termine me acompañe hasta que se restablezca el movimiento. Me gusta verla retocar su maquillaje en mi oficina mientras me habla de su deseo de volver a la universidad y de su indisposición a ser secretaria toda la vida. Estornuda, habla del clima. Recuerdo al vecino de la mañana y le pregunto si sabe algo del río; confirma haber visto varias calles anegadas pero no tiene certeza alguna ya que no le gusta escuchar las noticias antes de salir. Bromeo diciéndole que es esa actitud lo que la mantiene sonriente.

Durante las lluvias el pasillo se llena de paraguas que reposan recostados de las paredes. Hay empleados cubiertos de plástico, aumenta el consumo de café y el piso del ascensor adquiere un manto sinuoso de lodo con formas de zapatos. Cambio las toallas de la ventana cada tres, dos horas. Gotas solitarias empiezan a aparecer en los escritorios, en las pantallas, sobre los teléfonos, entre los bolígrafos, sin que nadie pueda explicar cómo llegan allí.

Antes de despedirse, Irina me trae los presupuestos que se despacharán en la mañana. Se cruza de brazos tratando de darse calor y resopla tensa hacia su nariz; el frío atraviesa su abrigo pero ella se mantiene de pie ante mi escritorio, esperando mis disposiciones. Jugueteo un poco con su tiempo, le ofrezco un cigarrillo que agradece pero no recibe y paso las hojas una por una pretendiendo prestarles demasiada atención; en realidad examino cómo el perfume de Irina vence los olores que empieza a crear la humedad en el edificio. Una de sus manos asciende hasta su rostro para apagar dos estornudos que se disparan con espasmos delicados. Con los ojos entrecerrados Irina sonríe y la dejo marcharse.

Oscurece temprano. En realidad el cambio de color en el cielo es apenas un formalismo para complacer al tiempo. El almanaque en mi escritorio asegura que habrá luna llena, pero no hay modo de saberlo con las nubes y el agua que cae en densidades variables. Coincido en el vestíbulo con uno de los vigilantes y le doy el cigarrillo que Irina no quiso. Lo escucho toser mientras camino hacia el estacionamiento.

El tráfico se hace pesado sobre las calles anegadas. Espesas olas negras van de un lado a otro rebasando el nivel de las aceras y obligando a los pocos transeúntes a caminar de manera graciosa, apoyándose en los talones. Tomo una de las calles alternas con la esperanza de conducir un poco menos despacio, pero al llegar al siguiente semáforo el motor se apaga y tengo que bajarme a empujar el carro para no entorpecer más el tráfico. Agua sucia y fría entra en mis zapatos y maldigo mansamente mientras logro estacionar.

Camino media cuadra hasta una fuente de soda y ordeno una taza de chocolate. La gente conversa en voz baja; la atención quizás está menos en los habituales comentarios sobre las aventuras cotidianas que en una radio dentro del local que habla del peligroso nivel al que está llegando el río, la solidez de la presa que año tras año es puesta en duda y el inminente colapso del sistema de drenaje.

Enciendo un cigarrillo para acompañar el último sorbo de chocolate y pido la cuenta. Con tono afectado el locutor informa del desalojo de varias viviendas ubicadas en la margen oeste del río, previniendo su desbordamiento en las próximas horas. La lluvia arrecia y se hace difícil entender las noticias; alguien sube el volumen y se escuchan declaraciones en directo de un funcionario del gobierno. Una luz repentina parpadea desde el cielo y se oye un estruendo rotundo al que le sigue un apagón. Después del sobresalto la gente se hunde en un murmullo sorprendido y risueño. El mesero se me acerca iluminando la cuenta con una linterna.

El carro responde luego de varios intentos y espero un momento mientras vuelve a calentarse. Quiero seguir oyendo las noticias y enciendo la radio, pero ahora hablan de un acuerdo marítimo entre dos naciones vecinas. Otras emisoras están transmitiendo música; al fin capturo un noticiero pero no hay novedades. Una pareja camina con prisa bajo un paraguas que les queda pequeño mientras un perro solitario los rebasa con paso enérgico. Cuando al fin me pongo en marcha, el perro se detiene y lanza un ladrido sin énfasis.

En la mañana el tráfico está especialmente lento. Las autoridades han prohibido el uso del puente al extremo norte de la ciudad, y los vehículos que necesitan salir hacia aquella región deben internarse a través de los barrios de la zona para tomar una vía menor. Algunas calles están inutilizables por el volumen de agua que conducen, y varios vehículos averiados se convierten en obstáculos adicionales. El estacionamiento del edificio ha sido clausurado y debo dejar el carro en otro a dos cuadras de distancia. Ni el paraguas ni el abrigo impiden que el agua enfríe mis huesos.

Me extraña que pese a haber llegado tan tarde no me recibe Irina con las tareas del día. Después de un rato una secretaria de otro departamento se me presenta en la oficina y, al tiempo que me da un número de teléfono, me habla de una llamada de la hermana de Irina hace unos quince minutos avisando que está enferma y que no podrá venir al trabajo. Invito a la secretaria a un cigarrillo, pero me dice que no fuma. Le agradezco la información mientras enciendo el mío y cambio las toallas de la ventana.

Sin la ayuda de Irina mi día se convierte en un ir y venir entre los pisos. Es cierto que podría haberme encargado de todo por teléfono, pero tengo problemas para confiar en la eficiencia de muchos de nuestros ejecutivos y, en mayor medida, de sus secretarias. No me baso en un criterio objetivo, es sólo que ninguna de ellas parece humana, no usan botas amarillas ni sonríen. La mayoría ni siquiera fuma. De cualquier manera no hay gran cosa que hacer y las toallas de la ventana son cada vez más insuficientes, por lo que me viene bien estar el menor tiempo posible en la oficina. Esta tarde tendré que traer toallas nuevas.

Antes del almuerzo llamo a Irina al número que me dio la secretaria. Me atiende la hermana y me repite la historia con diligencia. Asegura que mejorará pronto, pero quizás no pueda volver al trabajo antes del lunes. Está durmiendo, agotada después de una noche con tos y estornudos a causa del frío y la humedad. Le pido que no se preocupe y que le indique a Irina que no salga de casa antes de curarse por completo. Agradece la llamada, también estornuda, se disculpa.

De seguro al despertar Irina se extrañará. Quizás especule que la lluvia me ha puesto obstáculos en el trabajo y que necesito demasiado de sus servicios, y quizás eso la halague. Además de los cigarrillos ante la ventana, alguna conversación después del almuerzo y mi discreto agradecimiento por hacer bien su trabajo, no suelo ser con ella muy pródigo en gestos firmes de cortesía. No hay razones particulares para esto, sino una suerte de acuerdo silencioso que apenas traspongo para fantasear de manera furtiva con sus senos o sus piernas cuando viene a fumar a mi oficina.

Trato de ordenar en mi mente los compromisos de la tarde mientras guardo las toallas nuevas en una gaveta poco ocupada del archivo. Uno de los coordinadores ha querido alardear de su eficiencia y me visita para poner a mi disposición un asistente, pero le digo que no es necesario y enciendo un cigarrillo. Algo termina por espantarlo; el humo o mi rostro huraño. Por más de un motivo no deja de ser un trastorno la ausencia de Irina.

La mayoría de las personas suele entristecerse con tantos días lluviosos consecutivos. Mientras conduzco miro a los transeúntes con sus caras largas, sus abrigos empapados, sus manos en los bolsillos, sus paraguas que nunca los cubren por completo. Quizás haber crecido en una región particularmente seca me brinda cierta inmunidad a tal estado de ánimo; quizás es sólo que ya soy un poco gris y no me afecta. Me pregunto a qué se debe la inmunidad aparente de Irina.

La radio habla de un plan de contingencia en caso de que el río cumpla su amenaza. Se insta a los ciudadanos a tomar medidas, asumiendo que cada quien sabe qué medidas deberá tomar en la eventual circunstancia de una inundación. Supongo que habrá que prepararse de alguna manera; me estaciono frente a un comercio y entro para surtirme de lo que pueda hacerme falta. Termino comprando cigarrillos, una linterna y un buen brandy. Al momento de pagar incluyo en mi cuenta un paquete de té para justificar la visita a Irina que acabo de decidir.

Dejo el carro en un estacionamiento frente al edificio donde vive. Me abre la puerta la hermana; es como un mal presagio de Irina. Es cierto que se parecen mucho, pero la hermana es mayor y no tiene el mismo encanto. Su sonrisa al presentarme es forzada; su paso sin gracia ni siquiera tiene compás alguno. El apartamento es austero y, aunque el sofá luce acogedor, me ofrece una silla antes de internarse en una habitación donde supongo descansa Irina. Las escucho murmurar y aguzo mi oído intentando descifrar la conversación; un fuerte trueno me disuade. La hermana me dice que pase y le entrego el paquete de té. Lo agradece con un gesto gris y se oculta en la cocina.

Irina me recibe con un fuerte estornudo. Sonríe y noto que su sonrisa es una suerte de disculpa; le pido que no se preocupe y me siento a su lado. Quizás le duelen las articulaciones y se siente un poco inútil ahí recostada todo el día, pero Irina sólo sonríe y mueve las piernas para hacerme un lado. Iniciamos una conversación desorientada que es interrumpida por otro trueno, esta vez más fuerte. Con sobresalto se pone una mano sobre la boca y ensaya una risa apagada; la tos le impide más vigor. En una esquina de la habitación reposan las botas amarillas; las señalo un tanto divertido e Irina sonríe. Tiene el cabello recogido y aun en la escasa luz se notan las ojeras, pero no deja de ser Irina y me pregunta por las cosas del trabajo.

La hermana entra con dos tazas de té que deja sobre la mesita de noche, hace un vacuo comentario acerca del aguacero y vuelve a salir. Me pongo en pie y a través de la ventana veo mi carro en el estacionamiento de enfrente. De nuevo me siento e intento explicarle de alguna manera mi visita, pero Irina me ahorra el arresto de formalidad agradeciendo el té que sabe le hará bien. Con un ademán le doy a entender que su interrupción me brinda alivio, un alivio más elocuente que la explicación que he ensayado desde el ascensor. Irina se limita a sonreír, mirándome mientras acerca con cautela la taza a sus labios.

Sobre la mesa de noche hay unas fotografías de cuyas identidades se apresura Irina a hablarme. Se trata de su padre, un comerciante de quesos muerto cuando ella tenía once años; su madre, que vive al otro extremo del país con el hijo mayor; su hermana gris antes de ser gris, el día de su boda que terminaría transformándose en un mal divorcio; Irina misma cuando obtuvo el grado de secundaria. Irina tiene familia, una vida; a la forma prevista de sus senos de colegiala erizados por la lluvia puedo sumar ahora la forma de su vida.

De la calle llega un rumor más fuerte que el del agua e Irina me mira con pretendida perspicacia. Me asomo a la ventana y compruebo, este año sí, la fuerza insoslayable del clima: la presa ha colapsado, al fin. Un nuevo río se abre paso a través del ya paupérrimo tráfico y algunos carros flotan desconcertados. Lodo y escombros golpean los edificios y destrozan las vidrieras lanzando a la calle una extraña fauna de ventiladores y bicicletas. El muro del estacionamiento cede y mi carro se convierte en una vaca marina que se da vuelta lentamente sobre sí misma.

Irina me pregunta si el rumor tiene que ver con la presa y sonrío. Acerco mi rostro al suyo y la beso despacio, como si acabáramos de despertar. Me advierte que me arriesgo al contagio; sólo la miro y acaricio su cabello mientras el cielo se desploma entre los edificios. Vuelvo a besarla y noto que sonríe. Como siempre.

NUEVOS RECUERDOS

a Nineth

El lunes nos conocimos. Me deslumbró un lunar en uno de sus labios; a ella mi expresión un poco triste. Caté su mirada de fuego y sentí estremecerme al recordar otras miradas que de manera similar alguna vez me estremecieron; cató mi voz y sintió que debía cruzar un puente y avizorar nuevos misterios y construirse una vez más alrededor de mi mirada como ya lo hiciera antes, en otros ámbitos.

El martes hicimos el amor. La imaginaba blanquísima y no lo era tanto; imaginó que habría flores y no hubo. Temí que la música no fuera la adecuada, pero terminó dictando compases que nuestros cuerpos siguieron envueltos en rubores; esperó que mis manos fueran poderosas garras pero sólo planearon en caricias que pretendían ser tiernas.

El miércoles hablamos del pasado. Me contó su historia triste y su historia feliz; le conté la mía sin que notara que era triste. Sé que en forma deliberada suprimimos ciertos detalles que nos habrían impedido la convincente exageración de otros; encendí un cigarrillo y su copa quedó vacía y sonreímos imaginando que todo nuestro pasado era no más que una excusa para estar al fin juntos entre copas y cigarrillos.

El jueves dimos un paseo. Descubrí que le gustaban los niños; descubrió que me encantan los dulces. Nos sentamos en un banco y abrazándome leyó una historia acerca de dos amantes que se abrazaban sentados en un banco; las finas gotas de una lluvia vespertina hicieron que su piel resplandeciera. Hundió sus dedos en mi cabello y me pidió que la besara y que no olvidara jamás aquel encuentro.

El viernes nos evitamos. A propósito mantuvimos la expectativa y nos contuvimos; amasábamos gozosos el secreto placer de vernos con ansias al día siguiente. Pasé la noche buscando en vano rasgos como los suyos entre gentes feraces que reían a costa de obligarse a olvidar esos parajes turbios de la vida que hacen insoportable el recuerdo; su noche fue también un feliz insomnio tras el cual creyó deducir que el amor es luz, celebración, conmoción y deslumbramiento, mas en ningún caso sacrificio.

El sábado conversamos en torno al futuro. Me habló de sus esperanzas y le hablé de las mías; construimos arduas hipótesis sobre cómo sería juntos. Sus labios sonreirían entre mis besos y el tibio brillo de sus ojos daría calor a mi cuerpo aun en la oscuridad de su ausencia; mis manos franquearían abismos y podarían rosales dándoles las formas del fuego y harían muchas otras inauditas cosas y no sería más que en su homenaje.

El domingo la asaltaron mis fantasmas y la destruyeron. Fui torpe y quizás algo brusco; se marchó triste pero decidida. Ajenos al gusto por las despedidas ni siquiera nos miramos evitando, de esa manera, mayores estragos y pérdidas irreparables; multitud de puentes que cruzar y nuevos misterios que avizorar avanzarán hacia nosotros a un ritmo incesante, y quizás algún día mis fantasmas se aburran y quizás será inútil, pues ella se habrá construido alrededor de otra mirada que la estremezca como esta vez la mía.

Ayer fue lunes y los nuevos recuerdos me pusieron un poco triste.

SANTIAGO

—¿No te has puesto a pensar que hay rutinas infames? —me dice Santiago a mitad de una cerveza.

No le entiendo y no digo nada, sólo me río y hago un gesto indefinido. Es una de esas frases con las que, a manera de abreboca, suele iniciar Santiago sus discursos.

—Sabes, con las mujeres —aclara—, digo rutinas con las mujeres.

—Pero es que... —alcanzo a decir antes de su inminente parrafada.

—No, pero no digo las rutinas para abordarlas o para acostarse con ellas, me refiero a las rutinas que se asientan entre dos personas cuando, tú sabes, llegan a cierto nivel de intimidad.

—Ajá —digo sin mucha convicción, pero él ya atropella.

—Estuve saliendo con Cintia, sabes, la que trabaja en el banco. Cintia vive con su mamá, una anciana enferma, así que salimos, nos tomamos unos tragos y en cierto momento de la noche ella mira el reloj, frunce el ceño así y me dice: "¿Me llevas para mi casa?". La primera vez me molesto un poco, no son ni las once, pero no digo nada y cuando llegamos a su casa ella dice que tengo aliento a cerveza y me invita a entrar para tomar un poco de licor de menta. En la puerta me dice: "Espérame aquí", y pasa en puntillas. La oigo arrastrarse por la casa y poco después aparece con una botella verde y me hace señas para que nos sentemos en la sala. Sirve dos tragos de menta y hablamos de cualquier cosa en voz baja. Su mamá, la anciana enferma, es muy quisquillosa y ella tiene que asegurarse de que está dormida. Cuando termino el trago recoge la botella y los vasos, me está echando, me pongo en pie. Entra por un instante a la cocina, sale, ya estamos casi que en la puerta y nos despedimos pero ella me detiene: "A ver ese aliento", me dice, sabes, y me mete la lengua hasta la garganta. Nos besamos y nos acariciamos, sabes, y de pronto ella se aparta y con los ojos cerrados me dice: "Santiago, quiéreme". A mí me extraña mucho, imagínate decir eso justo en ese momento, pero cuando empieza a tocarme creo entender que lo de quiéreme es que me acueste con ella, así que nos vamos desnudando y lo hacemos ahí mismo en la sala, en el sofá.

—Sí, es extraño —concedo, dando un largo sorbo a mi cerveza mientras sigo con la mirada a dos morenas treintañeras que se sientan al final de la barra.

—No, no, espera un minuto. Cada vez que salimos ella repite la misma historia. Salimos, bebemos, hablamos y en cierto punto me pide que la lleve a su casa. Revisa a su mamá, tomamos menta, hablamos, cómo está ese aliento. Nos besamos, la sangre se calienta y zuas: Santiago, quiéreme. Es ahí donde empieza la cosa, por supuesto, sabes, siempre en el sofá y siempre en la misma posición.

Levanto las cejas con auténtico interés y pido otra cerveza.

—Claro que salir con alguien así es más aburrido que quedarse en casa —prosigue—, y una noche salgo con ella pero cuando empieza el juego de la rutina, que además lo hace fingiendo absoluta normalidad, sabes, como si fuera la primera vez que las cosas ocurren en ese orden, o como si fuera normal eso de hacerlo todo como robots, como siguiendo un libreto... cuando empieza la rutina, te decía, decido no acostarme con ella. Es decir, la menta, quiéreme y yo le digo que me voy a mi casa. Eso la agarra desprevenida, sabes, se sorprende, pregunta, insiste, vuelve a preguntar qué es lo que pasa, y me acompaña al carro pidiéndome explicaciones y yo que no es nada, sólo estoy cansado y quiero irme, espero que sea una mujer inteligente y no inicie una escena pero resulta no ser tan inteligente y a punto de irme ella mete la cabeza por la ventanilla, me da un beso y me dice encendida: "Ojalá nunca más puedas acostarte con una mujer". Y tú sabes, una sonrisa de venganza consumada, de reina de la porquería que acaba de darte tu merecido, sabes.

Me río, Santiago se ríe, una de las morenas nos mira de soslayo, malencarada. Es una historia muy loca, provista de ese especial tipo de episodios que ponen en evidencia el grado de desequilibrio al que puede llegar la gente en las ciudades.

—¿La has vuelto a ver? —le pregunto en medio de la risa, más por llevar un hilo que por curiosidad.

—Sí, no hemos vuelto a salir, la veo cada vez que voy al banco y a veces en alguna barra, pero ese no es el caso.

—Ah, ¿no?

—No. El caso es que no he podido tener nada más con mujeres desde que eso ocurrió.

No puedo reprimir la carcajada. Un mesero me hace un gesto divertido. Las morenas comentan algo que espero tenga que ver con nosotros. Santiago aletea con las manos pidiéndome atención.

—Es en serio. Han pasado como seis meses de aquello y desde entonces no importa lo que haga, con quién lo haga ni dónde: todo termina siempre en desastre y nada de sexo.

Río, ahora con el ceño fruncido.

—No creerás que ella es la culpable —le digo.

—No sé; es obvio que no puedo decir que ella sea la culpable, te lo cuento porque me parece una casualidad demasiado rebuscada, quién sabe, ¿no? Pero escúchame y no me importa si me crees o no. No he recurrido a las prostitutas, sabes que nunca me han gustado y no creo que me gusten, pero lo estoy pensando, sabes —ahí sí que me sorprendo: algo que indigna de verdad a Santiago son las prostitutas, con las que según él no se tiene sexo auténtico—, desde que Cintia me echó su *maldición* no he podido conseguir nada y no sólo no he podido conseguir nada, sino que he estado a punto de lograrlo pero siempre hay algo que se atraviesa y adiós sexo.

—Pero deben ser impresiones tuyas. Mala suerte. Uno se sugestiona cuando pasa por una mala racha.

—Quizás, pero la cosa no deja de ser extraña. La primera mujer con la que salgo después de Cintia es Lisa, una abogada que no ejerce desde que se separó del marido y no me preguntes qué hace ahora al frente de una tienda de ropa en el centro comercial que está aquí al cruzar. Hace tiempo que la conozco y siempre ha habido cambio de luces, sabes, y le digo cosas y ella responde un poco juguetona. Pienso que hay química y la invito, nos tomamos unos tragos por cierto en esta misma barra. Bailamos, tú sabes, tratando de provocarla, y otra vez en la barra le digo cosas y en cierto punto me le acerco listo para besarla y qué pasa, me sale con que somos amigos y le sorprende mi actitud, qué es eso. Me confundo y trato de recuperar terreno, sí, somos amigos pero eso qué tiene que ver e intento besarla de nuevo y ahí se hace la ofendida y se acaba el show. La llevo a su casa, ni siquiera se despide y ahora hay como una especie de distancia y no quiere volver a salir conmigo, tú sabes. Lástima, vieras esos labios de capullito —Santiago apiña los dedos de una mano mientras pronuncia mañoso la última frase.

—Pero es normal —le interrumpo, sin demasiada convicción, mientras lanzo a las morenas una sonrisa estudiada—, algunas mujeres reaccionan así cuando piensan que la cosa va con mucha velocidad. Todo lo que hace falta es un poco de paciencia.

—Sí, pero escucha. Un día llevo el carro a donde Tony por una falla en el alternador. Tony me lo está arreglando y salgo un momento a buscar cerveza para ambos, estamos solos en el taller porque son más de las seis y los muchachos ya se fueron, le he dicho que les aumente el sueldo para que no estén tan pendientes del reloj. Cuando entro de nuevo al taller están dos mujeres conocidas de Tony y empezamos a hablar, ya el carro está listo y seguimos hablando y terminamos rodando vía a un barcito en la carretera que tiene mesas al aire libre. La de Tony se llama Pamela y le dicen Pamy, la mía se llama Mónica y empiezo a hacerle cosquillas y a decirle Moni. Entonces ellos son Tony y Pamy y nosotros somos Santi y Moni, tú sabes, y llegamos al barcito y ahí me entero de cualquier cantidad de cosas, que son amigas desde hace tiempo, trabajan juntas en algo del gobierno, los hijos y los divorcios de cada una y todo eso. La cosa se calienta y las mujeres empiezan a sentir los efectos de la cerveza, Moni baila colgándose de mi cuello y me dice que le cante, que mi voz es espectacular y que si siempre tengo esa voz tan varonil y yo que me sale mejor en los momentos íntimos y eso. De pronto van al baño y le digo a Tony que convenza a Pamy para irnos a mi casa, que allá con la música y unos tragos más resolvemos la situación, y Tony habla con Pamy y yo con Moni y las mujeres acceden. Pagamos, yo me adelanto con Moni y en el carro nos besamos y nos tocamos, sabes, hasta que llegan Tony y Pamy y se suben con aquella alharaca y arrancamos. El puente que está antes de mi casa, sabes, lo estamos atravesando y no sé qué demonios le dijo Tony a Pamy y suena una cachetada y la mujer me dice que frene y yo no freno, imagínate, ya yo tengo la mano metida entre las piernas de Moni y aquello calentito y yo qué frenar ni qué ocho cuartos. Pamy amenaza con lanzarse del carro y abre la puerta y yo me asusto y bueno, termino frenando, y Moni le pide explicaciones a Pamy y después vuelve al carro con el cuento de que no la puede dejar ahí a esas horas, que es su amiga, y van a buscar un taxi y nada, tú sabes, no hay manera de convencerlas. Se van y Tony me dice lo que le dijo a Pamy y nos reímos y hasta ahí, no he vuelto a ver a Moni y no me responde el teléfono, sabes.

Insisto con lo de la mala racha. Santiago se excusa y va al baño; trato, sin énfasis, de capturar la atención de las morenas, y apenas logro que la que parece la mayor de las dos, la mal encarada, me mire muy seria durante un par de segundos. Le dice algo a su amiga, que se muestra más risueña, y un rápido movimiento de ojos me indica que podría ser acerca de mí. La risueña sonríe por lo bajo y Santiago regresa, reanudando su historia a viva voz antes de llegar a su puesto en la barra.

—Hasta ese día no me preocupaba, pero una noche me pasa buscando mi hermano por el trabajo y se pone sentimental, sabes, me dice que hace tiempo que no nos tomamos una cerveza, que vamos a contarnos cómo nos está yendo y nos metemos en la tasquita del edificio donde trabaja tu abogado. Nos sentamos en la barra y estamos hablando y hay mucho bullicio de gente pero no hay música, y mi hermano se impacienta y un mesero le dice que en cinco minutos empieza el grupo y luego sube un gordo de lentes a la tarima y se pone a practicar con el teclado y cuál es mi sorpresa: va a cantar Olga, una cantante que trabajaba antes aquí y que tenía tiempo que no la veía. Antes de que yo me divorciara, Olga me prestaba alguna atención, pero la cosa nunca se concretó porque ella salía tarde y después Méndez, el de la oficina, me dice que está saliendo con ella y me olvido por completo del asunto hasta esa noche en que la veo allí. Cuando me ve me pica el ojo, sabes, la química y eso y le cuento la historia a mi hermano y ella cantando y lanzándome sonrisitas. En el descanso ella se acerca a nosotros, se la presento a mi hermano y hablamos un rato, sabes, el mundo es un pañuelo, las vueltas que da la vida, no hay casualidad sino causalidad. Empieza otra vez a cantar y mi hermano y yo, sabes, uno se cansa de hablar y hablar y entonces nos vamos hacia las mesas y sacamos a bailar a unas muchachas y Olga haciéndome unos gestos un poco cómicos cada vez que doy la vuelta bailando y quedo frente a ella, y mis hormonas gritan que Olga es el premio mayor pero mi cerebro se empeña en que sale muy tarde, sabes. No cuadramos nada con las muchachas pero de cuando en cuando las rondamos y damos un pie y así van pasando las horas. En el segundo descanso Olga se me acerca y me pregunta si podemos llevarla a su casa, que el taxista que siempre la lleva tuvo un percance, ya tengo varias cervezas encima y pienso que me está diciendo cualquier cosa con tal de irse conmigo, así que por supuesto acepto rápido antes de que mi hermano diga que no. Como a las tres de la mañana el sitio ya está cerrando, el barman nos pasa la cuenta y Olga nos hace una seña para que la esperemos, sabes, un minutico. Mi hermano y yo estamos recostados de su carro fumando y ebrios y aquel frío y tú sabes, me dice que las cosas que le pasan por andar conmigo, y eso. Por fin sale Olga y nos vamos y se sienta entre nosotros, sabes, mi hermano trata de sacarle conversación pero ella entiende que está conmigo y se voltea hacia mí y empezamos a hablar y me agarra una mano y se ríe así, con malicia y a mí me parece increíble que voy a tener sexo con Olga. Pero es apenas en ese momento cuando siento el perfume de Olga y es una cosa penetrante, qué olor tan horrible, y le digo que huele rico y mi hermano me mira sobre el hombro de Olga y se ríe, y ella me habla de la marca y el precio y otras tonterías y ya basta de cháchara, pienso, y me le acerco y le digo otra vez que qué rico huele pero realmente voy a besarla, y sé que ella está dispuesta y esperando pero entonces huelo y me detengo y me vienen unas náuseas terribles, si la beso seguro me voy en vómito, imagínate el bochorno. Olga se queda perpleja cuando llegamos a su casa y yo me bajo del carro sin decir nada y ella todavía se está despidiendo y está esperando que la bese pero yo sólo digo hasta luego, sabes, seguro cree que la desprecié y no he querido verla desde ese día.

—Santiago, pero en ese caso... —le digo mientras el barman me acerca una servilleta con algo escrito. Un mensaje de la morena risueña. Le digo a Santiago que continúe y garrapateo una respuesta en el reverso.

—Fíjate qué casualidad eso de la servilleta, el último episodio fue aquí mismo, sabes, y así, con un mensaje en una servilleta que me trajo el barman. Es una chica, Yadira se llama, en el mensaje me dice que está extrañada de que yo esté bebiendo solo en la barra así que la llamo y ella viene y se sienta a mi lado. Así me entero de que estudia administración, anda con compañeros de la universidad; me entero de que cumplimos años el mismo día aunque con una década de diferencia, y reímos por la casualidad. Me habla de su hijo de dos años, a su edad ya es divorciada y corrige y dice que separada porque no se habían casado y yo asumo que me está avisando que está disponible. Viene una amiga y le dice que se van, sabes. La cosa me incomoda un poco pero la invito a salir juntos otra noche y ella dice que sí. A la semana la llamo, nos vemos, la traigo para acá, bailamos un rato y todo redondo, unos besos y Yadira me dice bajito al oído que qué rico beso y se muerde el labiecito de abajo y todo bien, sabes. Le digo que voy a pagar la cuenta y ella sonríe y qué cosa tan erótica porque todo está entendido. Mientras estoy pagando ella recibe una llamada en su celular y se aparta y no escucho lo que dice, estoy pendiente del mesero y el cambio y eso. Cuando salimos la tomo por la cintura y noto que es delgada pero que tiene su pequeño sobrante de carne y bromeo con eso y me dice que era más delgada, me saca un carnet de la universidad de antes de que naciera el niño y veo que en verdad era muy flaca y leo el apellido: Záa.

Santiago hace un alto en la historia y me lanza una mirada expectante, como si fuera obvio que el apellido Záa debía significar algo terrible.

—Záa... —repito.

—Záa.

—¿Y qué con Záa? —pregunto al fin.

—¿No recuerdas que el apellido de mi ex es Záa? —no lo recuerdo—. Bien, es un apellido poco común así que empiezo a sentir algo raro. Ya estamos en el carro pero no me voy directo al hotel sino que me pongo a dar vueltas por la ciudad y le pregunto si es familia de Arturo Záa, del profesor Teodoro Záa, de la señora Lucía Záa, y todos son sus tíos y resulta ser prima de mi ex esposa. Me entra fuerte la inquina, sabes, y le pregunto quién la había llamado cuando yo estaba pagando y ella responde de golpe, como si tuviera la respuesta preparada, algo de una amiga y una reunión a la que la habían invitado pero ella iba a salir conmigo ese día y eso. Entonces no me aguanto y le digo quién soy y claro, se sorprende pero me dice que qué importa, ya yo estoy separado y ella no se lo va a decir a mi ex y si se entera de todos modos qué importa, pero ella está hablando y yo estoy viendo a mi ex esposa y a su papá y a sus tíos esperándome en comisiones en los hoteles de la ciudad para matarme a palos o qué sé yo, y termino dejándola en la línea de taxis con instrucciones precisas de que no me llame más nunca en la vida.

—Un momento, ¿llegaste a confirmar si era una trampa de tu ex esposa? —le pregunto haciendo a la distancia un brindis a las morenas, que responde simpática la risueña del mensaje.

—No, pero me dio mucha desconfianza.

—Creo que no debiste desaprovechar la ocasión... ¿Qué podría pasar?

—No conoces a mi ex esposa. Es una mujer con muy malas intenciones, todo el tiempo urdiendo algo, no la conoces, sabes. Siempre he dicho que esas mujeres que pasan toda la tarde viendo novelas en la tele no pueden traerse nada bueno. Además es mejor evitar, claro que supuse que eran ideas mías pero es mejor evitar y por eso dejé eso así.

Santiago termina la historia y se lanza un largo sorbo de cerveza. Cuando vira hacia mí y ve mi expresión estalla en carcajadas. Estaba adquiriendo ribetes de verdadera tragedia, pero él es el único que conozco que puede reír mientras cuenta una historia como esta.

La morena risueña me invita a acercarme a su sitio y me levanto sin demora. Tiene un perfume exquisito. Vamos a bailar y flirteamos abiertamente. Me cuenta que es publicista y tiene una oficina con su amiga en un centro comercial cercano. Le encanta la pizza y está divorciada de un mal hombre.

Cuando regresamos a la barra nos damos cuenta de que Santiago ha iniciado su propio flirteo y, a juzgar por la inesperada sonrisa de la otrora mal encarada chica, le está yendo bien. Después de hacer los respectivos arreglos con el barman, ocupamos una mesa en la que pronto se establece que todos andamos en busca de compañía.

En cierto punto de la noche, la morena risueña recuerda con alborozo una fiesta que se está celebrando en el club de un amigo de ellas, a las afueras de la ciudad. Aunque al principio nos mostramos un tanto reacios, terminamos pagando la cuenta y nos vamos. Santiago me indica que me adelante pues debe llenar el tanque de su carro. Nunca llegó a la fiesta.

Semanas después encontré a Santiago comprando la prensa y fuimos a un café cercano. Me preguntó por la morena risueña y le conté que seguíamos saliendo, pero entonces noté que estaba bastante desanimado y quise saber qué había pasado aquella noche con la morena mal encarada.

—Todo iba perfecto, sabes. Apenas nos subimos al carro nos dimos unos besos y decidimos no ir a ninguna fiesta. Pero, ¿te acuerdas de que te dije que tenía que llenar el tanque? Pues bien: el carro no llegó. Hicimos varias paradas para besarnos y toquetearnos y de pronto el carro tartamudeó y dijo: Hasta aquí. Estaríamos como a diez cuadras de la gasolinera y la morena agarró un taxi que pasaba. Ahí me dejó solo, maldiciendo a Cintia, sabes, la que trabaja en el banco.

EL PASADO

Ya una vez, en mi juventud, había escrito acerca de un amor sostenido hasta después de la muerte. Era un relato de veintitantas páginas a máquina, cuyo valor, hoy lo sé, es más sentimental que literario. Por esto, y aunque parezca un argumento antitético, me resulta extraño escribir sobre lo que me ocurrió a partir de un día nublado, hace casi dos años. Aquella narración de juventud estaba imbuida de la fuerza imaginativa que empezaba a bullir de mi incipiente vena; esto que hoy me decido a escribir, en mis ochenta, guarda algo más de reflexión y quietud —hasta donde la naturaleza de los hechos me lo permite—, y el patetismo de un caso enmarcado por completo en los predios de la realidad, por increíble no menos real.

A raíz de una enfermedad de la vejez, mi médico me ordenó caminar por los campos de alguna provincia interiorana; a la sazón me ofreció una casa que tenía en una zona rural del oeste que en mis años mozos había estado entre mis itinerarios, y en la cual sólo vivía una tía suya. Debía hacerme acompañar de alguien joven, que pudiera auxiliarme en el caso de un desvanecimiento repentino, y de un paraguas amplio, pues el tiempo de la región, por esos días del año, presenta frecuentes chubascos imprevistos.

La segunda cuestión no oponía dificultad: recurriría a mi viejo paraguas, que compré en Europa durante un congreso literario. Pero lo primero amenazaba con convertirse en un verdadero obstáculo. Fui padre tardío y mis hijos se encontraban a la mitad de sus veintes. Mi hijo acababa de casarse, pensé que querría disfrutar de su nueva vida y ni siquiera le hablé del asunto; mi hija, por su parte, siempre fue enfermiza y particularmente sensible a los climas fríos, por lo que tan sólo me limité a pedirle que me enviara a uno de sus compañeros de estudios o a algún otro joven de su confianza, a la mayor brevedad.

Dos meses tardó en llegar el muchacho. De unos años a esta parte, perdí la jovialidad que me caracterizó frente a la prensa y la comunidad de los países donde eran traducidos mis libros; las ocupaciones crecientes y los compromisos con periódicos, editoriales y peñas literarias acabaron por apartarme de la juventud. Pero la verdad es que la añoraba, añoraba a los jóvenes, mi juventud, la juventud toda. Si me invitaba una universidad a hablar en su auditorio aceptaba sin mayores consideraciones; los jóvenes entonces me rodeaban y yo firmaba ejemplares de mis libros, daba consejos a los entusiastas iniciados, estampaba autógrafos en los cuadernos de apuntes de los estudiantes; en suma, era feliz. Finalmente mi médico, odiado entonces con furor y hoy aceptado con resignación, me prescribió olvidarme de tan agotadoras actividades.

Así, pues, recibí al compañero de mi hija con patente alegría. Era miope, una enfermedad que, me contó, le había atrapado los ojos como herencia de su familia paterna, y que lo obligaba a ver las cosas a través de unos gruesos y horribles anteojos con montura de pasta. Me confió que la timidez que exudaba a cada momento en su actuar provenía de las limitaciones que sus penurias oftálmicas le imponían; me confió que desde niño estuvo dedicado a la lectura y que como efecto colateral a ello yo era uno de sus escritores preferidos; me confió que se había hecho amigo de mi hija con la leve y callada esperanza de conocerme; cuando los paseos diarios profundizaron esa amistad nacida del contacto permanente, terminó por confiarme que se sentía atraído por mi hija, que ella lo había rechazado de manera cortés aunque tajante, y que sospechaba que si ella le pidió que viniera a acompañarme era para interponer distancia pues sabía que él, poco menos que desesperado por conocerme, aceptaría gustoso.

Así que nos descubrimos como dos seres separados por fuerza de nuestras atracciones: él, alejado de mi hija por la ingeniosa resolución de ésta (y alejado, por otra parte, de todas las muchachas que había pretendido, dados su torpeza y, según él, sus anteojos); yo, alejado de la juventud que tan vívidos volvía los recuerdos que conservaba de la mía propia y, en rigor, alejado de la mayor parte de mis actividades.

Salíamos a caminar dos veces al día. Mi joven amigo, como yo, era proclive a buscar nuevas sendas a través de los bosques y los prados que rodeaban la casa rural del médico. Mientras andábamos él me hablaba de sus asuntos, de los escasos arrestos de jovialidad que sus complejos le permitían, de las extrañas ficciones que asaltaban su mente y que a duras penas lograba escribir, de su incipiente ateísmo. Yo, por mi parte, hablaba de todo lo que pensaba que él esperaba oír: cómo escribí y cómo publiqué mis libros; quién me inspiró tal personaje; lo que ocurría tras bastidores el día que recibí el premio de la academia. Él refrescaba mis recuerdos de juventud; yo le avivaba sus mal disimuladas ansias de gloria. No había pasado un mes cuando caímos en la cuenta de que habíamos hecho germinar una buena amistad, una necesidad mutua de compañía, y cuando él me ayudaba a subir las escalinatas de la entrada principal de la casa, parecía sentir que ayudaba a la virtud a ser más virtuosa, y yo esperaba estar ayudando a ese joven a asumir más su juventud.

Los días lluviosos habían entrado en su apogeo. Un día salimos temprano; las nubes habían tapizado el cielo de un tono grisáceo y queríamos disfrutar de esa atmósfera que, al contrario del común de las gentes, a nosotros nos enaltecía sobremanera. Caminamos hacia una colina, la bordeamos —habría sido muy difícil para mí trasponerla— y vimos, como escondida en el cerro, una pequeña cabaña. El joven tenía el ánimo explorador que yo conservaba intacto de mi juventud; me propuso, y lo acepté, que nos acercáramos y que, de no haber nadie, entráramos. Yo —ochenta años a cuestas— opuse alguna endeble observación basada en el inminente aguacero; él adujo que nunca había entrado a una casa abandonada; yo acabé por acceder porque, al fin y al cabo, tampoco lo había hecho.

Dio unos toques a la puerta; nos cercioramos de que la casa, en efecto, estaba desierta. A él, todo vigor, no le resultó difícil abrirla; yo lo seguí emocionado como un chiquillo. Las cosas que permanecían allí denotaban cierto indicio de civilización, aunque en cualquier caso el deterioro también revelaba que los habitantes de la casa la abandonaron hace muchos años; supuse en voz alta que la última vez que alguien pernoctó allí fue en días en los que el joven aún no había venido al mundo, y él aprobó la ocurrencia con una admiración que no dejó de hacerme gracia.

La casa tenía, como espacios, sólo una especie de salita donde estaban, desordenados, los vetustos objetos que ocupaban el lugar, y un cuarto desierto salvo por una que otra alimaña. El muchacho se asomó a ese cuarto; su soledad no le generó curiosidad en absoluto y volvió a la sala, a revisar los objetos con la avidez de un investigador. Yo, que no fui avisado de la espectral soledad del cuarto por mi amigo, entré. Me interesé por una araña que en un rincón, adherida a su andamio prodigioso, se limpiaba las minúsculas fauces: no veía a una de su especie desde que tenía la edad del muchacho. Me acerqué a ella no sin reparar en lo extraño de que, habiendo pasado más de medio siglo desde la última vez que vi una parecida, mi memoria hubiera conservado su imagen —creo que fue entonces cuando recordé que las había visto durante una corta estancia, allá en mi juventud, en la campiña que ahora visitaba en mis ochenta—, le rocé el lomo con el índice siguiendo el extraño diseño de su diminuta biología, y mientras la araña corría a un extremo de su tela, oí con toda claridad una voz de mujer que me llamaba por mi nombre, y sentí un escalofrío al voltear.

No me fue dado lanzar el grito que mi garganta se esforzaba en soltar. Juro que ciertamente la vi, que no existe falsedad en esto; estaba allí, frente a mí, como antes, joven como antes, como hace cincuenta años o más, tan joven que sentí cierto pudor por mi ancianidad digna y procera. Juro que ciertamente su dorado cabello ondulaba al compás de la brisa que precedía al torrencial, juro que usaba un vestido blanco con flores rojas y amarillas y que tenía las uñas, al final de los brazos cruzados sobre el pecho, pálidas, sin esmalte. Juro que sonreía al notar mi estupefacción, juro que la vi, juro que la vi.

Sin demora me expuso lo que ella llamó su propósito, que sólo yo podía encaminar; yo, el único que realmente la había amado, por su sencillez, por su belleza montuna; yo, el único que no la consideraba un estorbo y que a su muerte la lloró con franqueza. Era un alma en pena y se lo atribuía a su suicidio, cometido en el propio dormitorio con el rifle del padre, un hombre adusto que veía con extrañeza, y con desconfianza suma, el hecho de que yo, un patiquín de ciudad, me interesara por su hija simplota y casi fea, razón bastante para negármela. Era yo quien podía liberarla, darle una vida redimida ahora que quería dejar transcurrir los años que segó, y todo esto me lo dijo sin exponerme la razón, ni cómo había descubierto esa vía para lograr lo que anhelaba: lo que yo debía saber era que ella me había conducido hasta allí, que ella había sido la causa última de que yo enfermara para que mi médico me enviara a esa región, cuyo recuerdo permanecía oscuro en un remoto rescoldo de mi memoria, y todo esto para que yo la ayudara a liberarse; que, llegado el momento, yo debía besarla, y con el mismo amor de casi seis décadas atrás, aunque no la estaría besando a ella, sino a la persona que ella escogería para alcanzar la libertad. Y ante mi mandíbula caída y mis ojos interrogantes me reiteró que yo, sólo yo, podría liberarla, que estaba segura de que yo no se lo negaría; de golpe, considerando dicho todo lo que debía decirme, salió de la estancia. Traté de alcanzarla, pero en la sala sólo estaba, distraído, mi joven amigo, averiguando para qué habría servido una pequeña estructura de hierro que había hallado bajo unos retazos de tablas roídas por las termitas y el tiempo.

De regreso a casa no pude articular respuestas para el muchacho. Comprendió, o creyó hacerlo, que yo había entrado en algún tipo de trance, de esos que de seguro habría tenido noticia que embargaban a los grandes hombres, en esos manuales para aprendices de genio que son las biografías. Así, respetó mi silencio con ceremonia, y hasta me impidió que llevara el paraguas cuando empezaron a caer los goterones, argumentando que deseaba que yo pensara sin obstáculos.

Cavilé sobre el asunto sin saber muy a ciencia cierta si no había soñado. En realidad, la amé a una edad en la que suelen buscarse mujeres más atractivas y, por otra parte, más saltarinas. De allí intuía que ella había sido mi primer amor sincero; el segundo, y hasta ahora el último, fue mi esposa, la madre de mis dos hijos. Ella me pedía un beso en el que le expresara el amor de hace sesenta años; yo conservaba de ella una inquietante mezcla de sentimientos, tan inquietante que, con la prevención torpe de quien teme un conflicto, evité siempre hablarle de ella a mi esposa; silencio que ahora, viudo y pasados los ochenta, he juzgado innecesario. Esto me ponía a dudar si sería capaz de besarla como entonces, sin añadir que no sabía en quién encarnaría para lograr su libertad ni cómo descubriría yo esa encarnación, aunque ella me había dado a entender que lo sabría, que al llegar el momento me daría cuenta. Por otra parte, me incomodaba un poco tanta responsabilidad, no podría evadirla porque, como me había dicho, era ella quien había preparado mi enfermedad y también mi convalecencia; era ella quien me había llevado hasta la casa del médico; era ella quien me había conducido hasta aquella cabañita quebradiza y desolada. Entré al fin a la casa del médico, del brazo de mi amigo, pensando que era ella quien, desde el instante de su muerte, había dispuesto mi vida y mi circunstancia para atraparme en el momento indicado en mi papel desencadenador de su pena póstuma; que había visto envejecer mi cuerpo y mi alma; que quizás el "momento indicado" no llegaría a tiempo pues yo moriría sin cumplir mi cometido, mi promesa a la fuerza; que justo en ese "momento indicado" caería sobre ella el dedo acusador del alma de su padre, condenándola a permanecer en su perenne estado límbico sin ninguna esperanza; pensando todo esto caí en la cuenta de que ya estaba acostado, en medio de la noche y casi dormido.

Al despertar, por la mañana, me embargó una vaga ansiedad. En la casa sólo estábamos mi joven amigo, la tía del médico, que nos hacía de los mejores platillos que en pueblo interiorano alguno probé en mi vida, y yo. Los observé a ambos con detenimiento, buscando en ellos una señal de mi amor de juventud: la tía parloteaba con alegría, como todas las mañanas, y el muchacho la escuchaba atento. Terminamos el desayuno, nos sentamos cerca del establo a mirar el campo y poco a poco nos sumergimos en una conversación de rumbo cambiante que me permitió dejar de lado el problema por un rato. Con el joven sentía que hablaba con una versión de mí mismo hace decenas de años; así, trataba de que cada una de mis frases fuera en mucho una enseñanza, la corrección de un paso en falso hacia un camino equívoco, la petición —casi orden— de que no incurriera en errores que lo alejaran de lo bueno, de lo encomiable. En un momento determinado nos pusimos de pie; él me buscó mi viejo impermeable y mi paraguas y empezamos a caminar por una vereda, hacia un lago cercano; pronto me olvidé de todo.

Los días siguientes fueron idénticos. En la mañana, la ansiedad; después del desayuno, la conversación accidentada; luego la caminata me devolvía a mi estado natural y en la tarde regresaba refrescado y parlanchín. Con el transcurrir de la primera semana, la ansiedad tempranera devino momentáneo pasatiempo; días después, salvo un vago sueño durante una siesta, había dejado de pensar en el asunto; llegué incluso a convencerme de que había tenido una visión alucinatoria, y la presunción de mi inminente senilidad se me hizo tolerable y me abracé con fuerza al orgullo de mis ochenta años.

Todo parecía alcanzar su final aquí; sin embargo, una tarde, bajo un gran pino donde nos recostamos a descansar, el muchacho se dirigió a mí por mi nombre de pila mientras miraba el horizonte. Ese era el santo y seña, el guiño por el cual descubrí alarmado, justo cuando me olvidaba de la responsabilidad adquirida, que mi amor de juventud había encarnado en el pobre muchacho miope rechazado por mi hija. No dijo nada más, sólo mi nombre. De inmediato me puse en pie y él me siguió con docilidad, ignorante de ser el vehículo de la liberación de un alma en pena. Caminamos hacia la casa; llegamos con el crepúsculo; nos acostamos: él dormiría con una viva expresión de felicidad en el rostro mientras yo me debatía conmigo mismo, sin poder conciliar el sueño hasta pasada la medianoche.

Al amanecer me encontró donde siempre, frente al establo. Fue directo a mí, repitiendo mi nombre con expresión suplicante. Sin mediar palabra empecé a andar y él me siguió; en el claro de un bosquecillo le pedí que nos sentáramos a descansar. En lo único que yo pensaba era en cómo lograr mi cometido sin equivocaciones, cómo besar aquel cuerpo de joven, tan masculino como yo mismo, y más: cómo expresarle amor. Y todo esto lo pensé en silencio, sin mirarle, sin siquiera hacerle saber que yo me percataba de su presencia; pero sólo pude sostener esta actitud hasta que él, en un recodo, volvió a decir mi nombre con impaciencia. Entonces decidí que debía atreverme y, con toda la agilidad que mi vejez me permitía, arrojé mi pudor, mi temor al yerro, y me abalancé sobre mi amigo con los ojos cerrados, apretados, y sólo bastó que mi boca tocara la suya para sentir, tan vívida como hace sesenta años en esos mismos campos, la certeza sensual del delicado cuerpo de mi amada suicida, su respiración aparatosa, sus ganas desbocadas, y quizás hasta creí sentir sus cabellos dorados entremetiéndose en las arrugas de mi carne vieja, y la ilusión duró hasta que abrí los ojos y vi, bajo mi cuerpo, el del joven. Una descarga eléctrica me recorrió la espina dorsal y me hizo ponerme de pie de un salto, mientras mi amigo, aunque sin prisa, hacía lo mismo con una sonrisa de alivio.

Entonces, sin hablar, entendimos que debíamos regresar, y lo hicimos. Y, cuando llegamos a la casa, me sorprendió que fue a sacar el morral con sus cosas, que obviamente había dispuesto en la madrugada. Se despidió de mí con la mayor naturalidad, llamándome una vez más por mi nombre, agradeciéndome su libertad. Había concluido así el mayor y más importante acto de amor de toda mi vida, al darle a mi amada de anciana alma ese cuerpo joven para vivir los años que ella misma se había impedido, y a ese joven amigo tímido la soltura que siempre había deseado y cuyo hallazgo, en un oscuro recodo de su pensamiento, debía comprender y aceptar, sin asomo alguno de mezquindad o recelo.

NOTAS PARA UN SUICIDIO

He sido muy malo, muy malo en realidad. No aludo a la dualidad clásica (bueno/malo, muchacho/villano), si escribo esto de lo malo que he sido me refiero a que mis actos han carecido de la calidad humana que sé que hubiera podido imprimirles, de habérmelo propuesto. Debo señalar que hace tiempo mi parámetro para medir qué tan buenos o tan malos han sido mis actos es Miriam.

Pero, Leo, no has sido tan malo, aun en la acepción que le atribuyes a esta palabra. Hiciste lo que pudiste; es todo.

Miriam, con su obsesión de suicidarse que me planteó desde el primer momento. Cómo convencerla, cómo hacerle entender que no es lógico el suicidio. Juro que intenté todo tipo de argucias, incluso la comedia esa de atarla a la cama. Sonreía, sé que no me tomaba en serio, que pensaba que era otra de mis locuras complacientes y banales.

Y cómo querías que no me riera, si te estaba viendo ahí tan asustado con tu carita de niño-sin-dulce, escondiendo las pastillas, acariciándome el cabello y diciéndome cosas lindas para meterme entre las sienes que la vida es hermosa y todo eso.

Por eso la desaté —por su sonrisa un poco triste con la que me decía tontín o bobito, esas palabras que usaba para congraciarse conmigo cuando yo me disgustaba—, por eso le devolví las pastillas. Ahora pienso que quizás ella tenía razón cuando me hablaba de su libertad de decisión sobre su inminente suicidio. "No será hoy, aquí, en este instante", me decía. "Pero debo hacerlo".

Claro que debía hacerlo, tontín, un gen escondido en alguna parte de mí me predispuso desde el principio al suicidio. Un impulso irreprimible, una intuición bajo la corteza de mi cerebro, la montaña inmóvil que debe ser alcanzada de cualquier manera, pero ya. No lo habría hecho, sin embargo, en ese momento, sé que para ti habría sido fatal.

Debo hacerlo. Esas palabras que tanto dolor de cabeza me dieron y que ella pronunciaba de forma tan normal.

Y qué querías, Leo. Llevo años con la certeza de que mi suicidio es inevitable. He olvidado cuándo obtuve esa certeza. Ya ni duele. Te agradezco mucho tus esfuerzos pero no puedo hacer otra cosa que suicidarme. Por eso pronuncio mi debo hacerlo *de forma tan normal. La inminencia del suicidio es en mí algo cotidiano, como ponerle mantequilla al pan o ir al baño.*

Ella nunca supo cuánto daño me hizo con esa obsesión,

Claro que lo supe, Leo.

eso la absuelve por lo menos para mí. A mí, en cambio, nada me absuelve. Debí ser bueno. Debí ser mejor que ella, convencerla de que no podía suicidarse. Y lo intenté todo para eso, lo repito. No sé cuánto tiempo llevaba con su "certeza",

Epa, chico, esas comillas, no se vale.

pero tuvo que haber sido mucho. De lo contrario habría podido convencerla. Además, la forma como agarraba el frasco con las pastillas, la forma como sonreía cuando leía en los diarios que alguien se había lanzado al metro o se había cortado las venas. Tanta seguridad me aterraba, me carcomía las entrañas pues me contagiaba de su certidumbre. Creo que de alguna forma entendía a Miriam,

No, no me entendías.

pero ella misma me hacía retroceder en la asimilación de su idea.

Ah.

Idea que nunca acepté porque la quería para mí. No era egoísmo, pues estoy seguro de que ella disfrutaba de mí tanto como yo de ella.

Eso es verdad, Leo. No sabes cómo me gusta cuando caminamos juntos por el muelle, cuando reímos o vamos al cine, cuando me das esos besitos tiernos que de alguna manera son también intentos de disuadirme del suicidio. Tú me estremeces, no debes olvidarlo.

La estremecía tanto como ella a mí.

Oye, eso sí es sintonía.

Pero entonces por qué lo del suicidio. Nunca he considerado válido el cuento ese de te-suicidas-porque-no-me-amas. Ella tampoco. Pero entonces por qué lo del suicidio, debo repetir. Su certeza no podía estar tan imbuida de terquedad. ¿O sí? El suicidio era para ella un final necesario, la culminación de su vida que consideraba tan vacía a pesar de mí. Porque, cuando nos conocimos, ella retrasó un poco su desenlace. Hasta la vi desechar un frasco de pastillas. Me habló del suicidio la primera vez, lo olvidó un tiempo y después volvió a su maldita idea.

Blasfemo, bobo, tontín. No maldigas mi idea, Dios te va a castigar. Además, no era tan sólo una idea. Era una certeza, lo sabes; era algo que estaba en mí desde hace mucho. El hecho de que tú no me entendieras no implica que mis impulsos fueran una farsa.

Volvió justo cuando creía habérsela extirpado. Fue una tarde gris, tras las nubes debía estar remontando la luna llena y lloviznaba a ratos. Me dijo con una sonrisa: "Ayer me llevaron otro frasco a mi casa". Me escandalicé. Le pedí las pastillas, le hablé de nosotros, le hice el amor memorablemente. Pero nada. Por la mañana, al despedirnos, me mostró el frasco como quien ostenta unos zarcillos nuevos o una bolsa de caramelos, y se fue. Se fue dejándome allí, en un banco de plaza, perturbado y trémulo. Así fue varios días. Nos veíamos, yo recobraba la calma pero luego todo volvía a cursar su ciclo cuando ella hablaba del suicidio. Eso me descomponía. A ratos, es cierto; porque Miriam siempre se las arreglaba para alegrarme con esa tranquilidad suya tan frágil y hermosa. Entonces yo guardaba en secreto la certidumbre que hoy conservo: Miriam no sabía cuánto daño me hacía.

Sí, Leo, sí lo supe. Pero de alguna forma tenía que hacerte entender. Admito que a veces fui cruel contigo, cómo si no habría roto tu propia terquedad.

Tanto daño tenía que hacerme reaccionar de una manera heroica.

El término es muy tuyo.

Por eso intenté varias veces atacarla con sus propias armas. Cuando le contaba historias de suicidios monstruosos y sangrientos se limitaba a gemir: "Qué historia tan triste, Leo". Pero, más allá de eso, ni se inmutaba. Al contrario, me explicaba que las víctimas de esos suicidios habían tenido sus razones, muy valederas si analizábamos la estructura síquica de cada caso.

Olvidas que de esas historias alimenté mi formación, bobo.

Cuando la amenazaba con suicidarme ante ella, sonreía y me proponía que lo hiciésemos juntos, como ir a la playa o hacer el amor. Y agregaba: "A lo mejor también eres un suicida y no lo sabes".

Y lo creía sinceramente, mi amor. No estaba siendo cruel, de verdad.

Cuando le decía que le quitaría el frasco, me recordaba con una sonrisa lo fácil que le resultaba conseguir otro.

Bien, ya sabes que tengo amigos.

Me creí perdido. Si no lograba aniquilar su "certeza"

Otra vez esas comillas, Leo, qué es eso.

moriría de desasosiego. Mi máquina pensante se declaraba incompetente, salvo recurrir a una solución drástica. Me paseé por innúmeras

Caramba, amor, otra de tus palabrotas.

posibilidades y me decidí por la más teatral. Una noche corrí al barrio en el que me crié. No había nadie en las calles, excepto en una esquina donde fumaban y bebían los maleantes que alguna vez fueron mis compañeros de correrías. Ellos se divertían conmigo, que era como la oveja negra del grupo. Bebimos unos tragos y recordamos andanzas.

Esta historia se vuelve interesante, Leo.

Así que cuando les propuse el asunto sobraron voluntarios. Sería un juego, ellos se divertirían un poco y me harían un favor. Escogí a uno. Debía estar cerca del muelle la noche siguiente, cerca de las diez. Era la hora a la que saldría a caminar con Miriam. Todo salió a pedir de boca, él se nos cruzó en un lugar solitario y le quitó la cartera en una actuación impecable.

Tampoco fue tan buena, porque cuando conseguimos la cartera un poco más allá yo noté en seguida que lo único de valor que el tipo se había llevado era el frasco con las pastillas. Y, claro, lo relacioné de inmediato contigo, Leíto.

Por la mañana recibí el frasco y quise pagarle, pero se opuso. "Para eso están los amigos", me dijo con una honestidad inusitada. Me sentí un poco culpable por el susto que le hice pasar a Miriam,

No te preocupes, no fue nada.

pero era necesario. Volví a verla por esos días; mi ánimo no podía estar más iluminado. Sin embargo, de inmediato me di cuenta de que tanto trabajo no había servido de nada: esa noche, después de amarnos sísmicamente,

Y que lo digas, qué noche.

me mostró otro frasco. Creo que se divertía.

Lo que me divertía era tu presunción de que con algo tan simple me harías cambiar de idea. Qué terco y tontín eres, Leíto querido.

Y eso era lo que más me dolía, que no parecía darse cuenta de cuánto me laceraba.

Hubieras escrito "lastimaba". Era más sencillo.

Desde entonces

Escribes "desde entonces" como si hubieran pasado meses. Eso fue anteayer, Leíto, anteayer nada más.

no la he vuelto a ver. Quizás ya se haya suicidado, o esté a punto de hacerlo. Quizás tenga su otro frasco en una mano y lo esté abriendo con la otra. Ya eso no importa.

Pues estoy viva, aún. Aunque nada me costaría tragarme las pastillas ahora mismo, las tengo a la mano.

No importa porque no pienso sufrir más. Claudico. He perdido. No hay otra manera. Incompetente, inepto, eso es lo que soy. He sido malo, he demostrado escasa calidad.

No, amor, todo lo contrario, tu perseverancia tiene un mérito enorme.

Menos mal que aún conservo el frasco que mi amigo le robó. Ella me ha dicho que con muchas de estas pastillas será muy sencillo. Qué otra salida me queda. Ojalá nunca se entere.

¿Qué? Leo, no, no de esta manera, ni lejos de mí, ni por mi culpa.

Cruzó todas las esquinas y abrió todas las puertas tras las que supuso que podría hallar a Leo. Corrió a través de calles, visitó y desvisitó el muelle a la carrera. Vio en un basural un frasco y rogó que no fuera el mismo frasco.

Sí era. Leo estaba en una acera, acostado con la cara impávida hacia el cielo, una mano sobre el corazón, otra bajo la cabeza. Gritó su nombre, se lanzó sobre él. En la mano y bajo la cabeza había algunas pastillas, otras habían caído en el cuello de la camisa y en la acera.

—¿Qué haces aquí? —le preguntó Leo, levantándose de repente.

—La carta, la carta —dijo ella con la voz ahogada mientras lo abrazaba, temblorosa.

Quizás mueran de viejos.

EL CAPITÁN FRÍO

Desde que quedé mudo he tenido que esforzarme para mejorar mi caligrafía. Al principio fue duro, pues tenía la idea errónea de que debía escribirlo todo para ser entendido. Con el tiempo noté que cualquiera podía conocer mis intenciones con sólo unos trazos. Por ejemplo, una q solitaria es la palabra *que.* Si quiero decir que algo me gusta, simplemente dibujo una carita feliz. Pequeños juegos como estos me han abierto un mar de posibilidades y, por añadidura, han hecho que mucha gente me considere un mudo algo peculiar.

Pero no era esto lo que quería escribir. Quería contar la historia del Capitán Frío, un tipo interesante a quien conozco a medias desde que era niño. El asunto es que lo conseguí hace unas horas en un bar y me hizo acordarme de todo esto. Lo he visto un par de veces este año, ambas en el mismo bar y con la misma chaqueta gris cuyos codos se oscurecen cuando los posa sobre la barra, mojada por el sudor frío de las cervezas. También lo he visto de lejos en la calle, pero eso no cuenta.

Cuando llegué al bar, ya el Capitán Frío estaba sentado en un rincón de la barra, cerca de la puerta del baño de hombres. Me saludó con la mano y un inexpresivo movimiento de la cabeza. Quizás tendría más de una hora sentado allí; desde mi puesto podía ver su cuenta con varias cervezas anotadas. Pedí la mía con una señal.

Haber enmudecido me convirtió en un franco admirador del bullicio. Cada fin de semana me gasto unos billetes en cualquier concurrido bar de la ciudad donde pueda ver a la gente. Cato la felicidad y la desdicha ajena como si fuera un buen licor, y lo disfruto casi más que el licor verdadero y barato que trago cada una de esas noches.

Aprecio las oportunidades que tengo de acercarme a la gente. Mediante señas lanzadas a la distancia en los bares, suelo contactar a las chicas para bailar. Pero, con más frecuencia de la que soy capaz de admitir, siento que las personas establecen distancias cuando mi mudez se hace evidente. Es como una repugnancia, una forma absurda de miedo. Se ha afianzado, en el común de la gente, la convicción de que quienes sufrimos de algún tipo de invalidez detestamos el mundo. Al menos en mi caso no es así.

Pero no era esto lo que quería escribir. Desde mi tercera cerveza sentí ganas de ir al baño y pasé por un lado del Capitán Frío. Mientras orinaba, un tipo se puso a contarme que estaba con su novia y de repente llegaron tres amigas que se sentaron con ellos. Había bailado con todas y ahora se lamentaba pues de seguro tendría que pagar una cuenta enorme. Noté que en cierto momento empezó a mirarme en forma inquisidora, como esperando que le respondiera algo para apoyarlo en su pequeña desgracia. Me toqué la garganta e hice con los labios el ademán de la palabra *mudo.* El tipo entendió, arqueó las cejas y me dio una palmada en el hombro antes de salir. Ya me he acostumbrado a esos intentos de consuelo.

Salí del baño y, mientras caminaba hacia mi puesto, vi de frente al Capitán Frío. Le sonreí, y me sentí un poco torpe cuando advertí que ni siquiera me estaba mirando. Sorbía su cerveza un tanto atropellado, con los ojos fijos en un punto del bar más allá de mi estúpida sonrisa. Cuando llegué a mi puesto me di cuenta.

Hace tiempo alguien me contó un episodio en el que estuvo involucrada la mujer que captaba esta noche la atención del Capitán Frío. Ella trabajaba en una compañía en la que él tenía que hacer ciertas gestiones. Fue así como se conocieron y, en unos días, estaban envueltos en un *affaire* que habría podido ser tranquilo, a no ser porque él era casado y se lo ocultó.

Una noche la esposa del Capitán Frío le montó cacería y lo encontró en un bar con la mujer en cuestión. Él se levantó de su puesto y trató de sacar a su esposa del sitio, pero ella, ofendida, blandió un paraguas con el que golpeó varias veces a la amante, persiguiéndola hasta la calle en un tumulto del que, aupando alegremente la golpiza, participaron vigilantes, clientes, dos choferes de taxi y hasta un músico ambulante con su guitarra colgada a la espalda. De detalles como estos suelen nutrirse las historias de la noche.

Pero no era esto lo que quería escribir. La mujer estaba sentada en una de las mesas, algo tensa por la insistente mirada del Capitán Frío. El hombre que la acompañaba hablaba menos de lo que bostezaba y, para cualquiera que no conociera los antecedentes, parecía una pareja bastante aburrida. Cada cierto tiempo la mujer se inventaba un pretexto para girar el rostro hacia el Capitán Frío. En cuanto ella volvía a ver a su galán de turno, el Capitán Frío miraba la puerta del baño y hacía con su cabeza un gesto de desaprobación, con los labios apretados hacia abajo.

Casi pude prever lo que iba a ocurrir cuando llegó la vendedora de flores. Era una muchacha muy agraciada que recorría los sitios nocturnos con una cesta llena de flores envueltas en papel celofán. Nos hemos visto muchas veces y hasta me saluda, aunque confieso que me molesta que me diga *mudito.* Espiando en las afueras de un bar descubrí, una noche, que la vendedora era trasladada por toda la ciudad por un hombretón que conducía una camioneta color crema bastante vieja.

Pero no era esto lo que quería escribir. La muchacha recorrió todo el bar sin vender nada, y ya se iba cuando el Capitán Frío la llamó. Lo escuché preguntarle por el precio de las flores y tenía su sonrisa cínica cuando envió una a la mesa de la mujer. A la chica le pareció extraño porque la dama estaba acompañada, pero después de guardar los billetes en su cartera cumplió su encomienda.

La mujer dio un golpecito a la mesa y lanzó una mirada de enojo al Capitán Frío. Sin demasiada cortesía le devolvió la flor a la muchacha, quien dudó un poco. Con un gesto preguntó al Capitán Frío qué hacer, y éste le indicó con la mano que se fuera, mientras la mujer esgrimía argumentos con que calmar a su pareja, que la acosaba con preguntas. Los labios del Capitán Frío esbozaban esa mueca suya apenas parecida a una sonrisa. Una sonrisa fría.

Hace muchos años, cuando el Capitán Frío aún no era el Capitán Frío y yo aún no era mudo, él trabajaba en una carnicería. No había cumplido los dieciocho, pero como era un poco mayor que nosotros, fue el primero de la cuadra que tuvo que conseguir empleo. Acababa de salir de la secundaria. Creo que su familia no disponía de muchos recursos y que por eso se empeñó en trabajar, para reunir dinero e irse a la universidad, en la capital. Aunque esto no es más que una especulación mía.

Una tarde el dueño de la carnicería le pidió que lo ayudara con la carne que llegaba del matadero. Él se puso una chaqueta de cuero, una gorra y unos guantes para soportar la temperatura de la nevera del camión. Subió y se encargó de pasarle las reses al dueño y a otro muchacho que trabajaba con él. Cuando estaban a punto de terminar, la puerta del camión se cerró por accidente. Por una extraña razón, la manilla no funcionó y él se quedó atrapado en la nevera.

No hubo manera de destrabar la oxidada manilla y tuvieron que romperla a golpes con una llave inglesa. La operación duró quizás unos minutos, pero fue suficiente para que todos los muchachos de la cuadra conociéramos del terrible peligro en que se hallaba nuestro amigo mayor, a punto de congelarse. Nos mezclamos entre la pequeña multitud y, cuando la puerta al fin se abrió, el joven salió esgrimiendo en el rostro una sonrisa extraña, parecida a la que le vi esta noche. Desde entonces le llamamos Capitán Frío.

Pero no era esto lo que quería escribir. Tratando de que se olvidara de lo ocurrido, la mujer invitó a su pareja a bailar. Él accedió a regañadientes y por unos momentos fue bastante visible su incomodidad, aunque creo que ella tuvo éxito, pues cuando volvieron a su mesa estaba más tranquilo y, al cabo de unos minutos, conversaban sin asomo alguno de tensión. Miré varias veces al Capitán Frío y noté que hacía un esfuerzo silencioso por que ella volviera a mirarlo.

Dos chicas se sentaron en la barra, cerca de donde yo estaba, y atrajeron de súbito mi atención. Una de ellas hablaba y la otra paseaba su vista por el lugar, mirando a los hombres en abierta cacería. Quise sentirme halagado cuando aceptó bailar conmigo después de haber visto al Capitán Frío sin inmutarse. Creo que todavía lo admiro.

La chica me preguntó mi nombre y tuve que escribírselo. Cuando se enteró de que era mudo quiso saber cosas sobre mi condición que le parecían interesantes, cosas que podía responder con movimientos de cabeza o señas simples. Incluso se mostró divertida de bailar con un mudo, lo cual me hizo sentir bien.

Mientras bailábamos miré hacia la mesa donde estaba la mujer. Estaba sola. El hombre se había puesto de pie y caminaba en dirección al Capitán Frío. Por un instante pensé que iba a enfrentarlo, pero sólo iba al baño. Supuse que el Capitán Frío aprovecharía la oportunidad, y lo hizo. Se acercó a la mesa y discutió en voz baja con la mujer. Casi podría asegurar que lo oí decirle que el tipo con quien andaba era un imbécil. Ella respondió algo que no pude precisar y él dio un pequeño golpe en la mesa y se retiró. Llegó a su puesto justo antes de que el otro saliera del baño.

Cuando volvimos a la barra, la chica le dijo a su compañera que yo era mudo. Tuve que utilizar el bolígrafo para responder algunas preguntas un poco más complejas, pero todo estuvo bien. Bailé con la segunda chica y luego me propusieron bailar los tres juntos. Al regresar a la barra, un tipo que estaba sentado cerca de nosotros lanzó un comentario que pretendía ser jocoso, pero se tuvo que tragar su intento de congraciarse cuando las chicas y yo le miramos con desprecio.

Desde que soy mudo he tenido que inventarme nuevas maneras de atraer a las mujeres. Al principio no me fue muy bien, pero con el tiempo me di cuenta de que todo se reducía a olvidar que ser mudo es una forma de invalidez. Lo más difícil era luchar contra el rechazo que producía en muchas chicas intentar comunicarse con uno. En cuanto aprendí a resolver ese problema, con más o menos suerte dependiendo del caso, desapareció la mayoría de mis inhibiciones. Incluso una vez estuve con una mujer que aseguraba sentirse aliviada, ya que al fin se acostaba con alguien que no le decía porquerías durante el sexo.

Pero no era esto lo que quería escribir. Una de las chicas era maestra en una escuela primaria; la otra, cajera en una ferretería. Tomé dos servilletas y les escribí sendos mensajes que les entregué sin ocultar que se trataba de un arresto de picardía. A la maestra le pedí que me enseñara a besar, y a la cajera de la ferretería un tornillo que me faltaba. Celebraron mi ingenio con alegres risotadas y, cuando se iban, me anotaron en una servilleta sus nombres y teléfonos. Las hice reír enviándoles de inmediato un mensaje en el que les preguntaba qué sentido tenía llamarlas si no podría hablarles. Se despidieron entre risas y promesas de nuevos encuentros y yo sentí que la noche había sido redonda; decidí entonces ir al baño, pagar la cuenta e irme.

Le di el último sorbo a mi cerveza y recordé al Capitán Frío. Se acariciaba la barbilla y miraba con el ceño fruncido a la mujer, que de nuevo estaba incómoda, o al menos así me lo parecía. El hombre acababa de pagar y fue hacia el baño. Se miraron desafiantes. Cuando el hombre se perdió tras la puerta, el Capitán Frío se levantó y la mujer hizo un gesto de enfado. Pero él no fue hacia ella, sino que se metió en el baño. Entró justo antes que yo.

Lo oí discutir con el hombre y preferí devolverme a la barra y aguantar mis ganas hasta que terminaran de dirimir sus asuntos. No podía verlos, pues el baño tenía una pequeña antesala con lavamanos y los urinarios estaban tras una esquina en la que ambos se insultaban con voz airada. Viré y, mientras abría la puerta para salir, escuché dos golpes secos. Casi corrí hasta mi puesto en la barra para ver cómo terminaría todo.

El Capitán Frío salió ocultando con frialdad su tensión. La mujer alternaba su mirada inquisidora entre la puerta del baño y él, que la ignoraba deliberadamente. Él se tomó lo que quedaba de su cerveza, llamó al barman y pagó. Se disponía a salir del bar cuando me pasó cerca y le hice una seña. No esperaba que viniera hasta mí, pero lo hizo. Con gestos le pregunté por qué se iba.

—Las cervezas están calientes —mintió. Me dio una palmada en el hombro y salió del lugar, luciendo la misma extraña sonrisa de la tarde en el camión del matadero.

ESPAÑA

En diciembre del año pasado se quemó su casa. Su madre murió en el incendio y su padre se hundió en una botella de aguardiente del barato; fue entonces —ya habían gastado sus ahorros alquilando el viejo tráiler en el que vivirían, esperaba él, sólo un tiempo— cuando decidió buscar trabajo.

No sé si encontró algún atractivo masoquista en lo del combustible, pero el primer sitio donde tocó la puerta fue en una gasolinera y resultó que por suerte estaban necesitando a un muchacho que cubriera el turno de entre las cuatro de la tarde y las once de la noche. Es cierto que hasta ese momento ni siquiera había estado cerca de un surtidor de combustible, pero tampoco es una cosa tan difícil que digamos y en quince minutos ya conocía la máquina.

Lo que no le gustaba era cuando tenía que revisar el aceite o lavar los vidrios; en fin, sólo se sentía cómodo abriendo el tanque del carro de turno e incrustándole el surtidor, quizás porque era algo poco exigente en lo que podía distraerse sin involucrarse demasiado. Mientras esperaba que el tanque se llenara pensaba en su madre, en la circunstancia absurda de su muerte, en la rabia que sintió por los bomberos y policías que lo apartaron del cuerpo calcinado que despedía una horrorosa estela de humo, en su padre derrotado en la acera mirando al vacío. Sí evitaba recordar las soberbias palizas que la doña le propinara de cuando en cuando, esos eran recuerdos indignos que sólo maltrataban la memoria de su madre; los buenos eran los recuerdos bonitos, el cafecito en la mañana, una caricia desprevenida mientras esperaban el autobús, alguna vieja historia de la familia como cuando a la madrina le venían los cólicos y pasaba la tarde entera en el baño.

En fin, en eso pasaba sus tardes y sus noches, y creía con franqueza que era un buen trabajo. Se consolaba a sí mismo con aquello de que al menos no estaba robando, y en realidad había conseguido un buen escape a la tortura de ver a su padre cada vez más perdido en litros de aguardiente. El hombre ya casi no comía, y el escaso alimento que se llevaba a la boca la mayoría de las veces era expulsado minutos más tarde en un vómito sudoroso de cuyo hedor ácido tomaba horas desprenderse. Poco antes de la medianoche llegaba él al tráiler y encontraba a su padre rojizo y mugriento, echado entre las bolsas de la ropa, afuera, sobre la escalerilla de la entrada o sobre la tierra sin más. Se sabe que no es un muchacho fuerte; más de una vez, imposibilitado de cargarlo o de despertarlo para que entrara al tráiler, debió dejar al hombre vergonzosamente borracho bajo las estrellas.

Yo he pensado que no fue una decisión consciente lo de trabajar con los de la distribución. No sé si su mente llega a ciertos niveles de complejidad como, por ejemplo, aborrecer el estado en el que había caído su vida; tiendo a pensar que más bien fue la previsible consecuencia de la inercia a la que lo confinaba ese bajo momento por el que transitaba. Lo cierto es que fue como por casualidad que se enteró del puesto: un día uno de sus compañeros en la gasolinera no fue al trabajo y otro explicó que al ausente le habían matado la noche anterior un hermano entre los callejones, el que llevaba el periódico a las urbanizaciones de arriba. Quizás él se preguntó quién llevaría ahora el periódico, quizás leyó la oferta en sus páginas por la mañana; sólo se sabe que al día siguiente fue con los de la distribución y se ofreció.

Hasta entonces, aunque se le dificultaba el sueño profundo con el olor a gasolina impregnado en la piel, se quedaba de más en la cama por consideración con su pobre cuerpo trasnochado. Pero al empezar en la distribución compró un pequeño despertador y adquirió el hábito de afeitarse en la noche, al llegar de la gasolinera, para no perder tiempo en la mañana. Tenía que estar a las cinco y media en el galpón de la distribución, cargar un primer lote de periódicos, dejarlo en las puertas de las casas y, cerca de las siete, pasar recogiendo el segundo lote, que iba a las oficinas de dos centros comerciales en la misma urbanización. A las ocho y media ya estaba devolviendo la bicicleta y se quedaba un rato dando vueltas por la ciudad, o regresaba al tráiler para descansar un rato antes de almorzar e irse a la gasolinera.

No tiene aún veinte años, y si me apuran puedo especular que no ha cumplido siquiera los dieciocho; la naturaleza lúdica de su edad lo llevó de inmediato a adorar el trabajo en la distribución. Se acostumbró sin problemas al cambio de horario y en la primera semana se aprendió la ruta a la perfección. De algún modo pudo construir ciertos sistemas relacionados con las labores del trabajo. Descubrió, por ejemplo, que la primera ronda era más difícil, y en un sentido hasta peligrosa, porque coincidía con la hora en que los habitantes de la zona salían a trabajar, y en varias ocasiones tuvo que esquivar los carros desbocados de ejecutivos retardados y de madres ansiosas por deshacerse de sus pequeños. La ronda de los centros comerciales era más tranquila, aunque se cansaba más porque tenía que dejar la bicicleta con los de la seguridad, repartir tantos periódicos como pudiera cargar y volver todas las veces que fuera necesario hasta terminar, a través de largos pasillos y escaleras.

Descubrió también que la gente de las oficinas responde por igual a esquemas sociales que para él son extraños; claro que él no puede saber lo que es un esquema social, pero trato de hacer de intérprete para que todo esto se entienda. De cualquier manera, al principio se sintió incómodo con el tono musical que adoptan las secretarias al hablar —además de que todas las secretarias se ven lindas, incluso las feas—, alargando la primera a al dar las gracias, ondulando las palabras cuando responden el teléfono diciendo *gracias por llamar, ¿en qué podemos servirle?* y acelerando las sílabas en la frase *¿quiere un cafecito?* Terminó habituándose también a utilizar fórmulas corteses como dar los buenos días; creo que por necesidad, por la urgente necesidad de caer bien, bajo la convicción o la suposición o al menos la esperanza de que más tarde, con algo de suerte, alguna de esas oficinas le ofreciera un empleo de mensajero o cualquier otra cosa sencilla que le permitiera dejar la gasolinera.

Era la ronda de las oficinas, entonces, la que más le gustaba, a pesar de que era también la que lo ponía a sudar, con tantas escaleras que bajar y subir con el fardo de periódicos a cuestas. En la de las casas no caminaba demasiado, pues la mayoría tiene pequeños jardines y le bastaba con lanzar el periódico unos tres o cuatro metros. Sólo en algunas con jardines más amplios tenía que bajarse de la bicicleta para llegar hasta la puerta y dejar allí el periódico; a veces encontraba al dueño de la casa y se lo daba en sus manos.

No se distingue mucho de las demás la casa donde vio lo que vio. Es una de las casas con amplio jardín, por lo que tenía que caminar hasta la puerta; aparte de ese detalle, nada impediría confundirla con cualquier otra. Estaba algo oscuro aún y podían verse encendidas las luces desde la calle, pero no había nadie afuera; ya había dejado el periódico sobre la alfombra cuando un pequeño óvalo capturó su mirada a través de un brevísimo espacio dejado por la cortina de una ventana. Era un óvalo castaño sostenido sobre una superficie mucho más clara, un óvalo que iba y venía, ocultándose y dejándose ver detrás de una hendija que se hacía en la tela cuando el viento empujaba la cortina unos centímetros.

Sólo unos segundos, los segundos que pasó detenido en el jardín ante la visión, le bastaron para alcanzar ciertas precisiones. Era el pezón izquierdo de una mujer joven que planchaba su ropa ante la ventana, sin duda confiada en que la cortina resguardaría con eficiencia su parcial desnudez. Y se puede decir que así era, pues era necesario situarse en un ángulo muy específico para poder mirar.

De inmediato sintió cómo su sangre fluyó en un río incontenible a través de sus venas; respondiendo a un sentido básico de la prudencia se alejó, subió a la bicicleta y continuó con su trabajo. Terminó su primera ronda, dio hasta el hartazgo los buenos días en la segunda, caminó por la ciudad, tuvo un almuerzo improvisado, en el tráiler, acompañado por su rojizo padre medio dormido, se acostó sólo para dar vueltas sobre la cama, fue a la gasolinera, llenó tanques y limpió vidrios y revisó aceites, dejó su turno y regresó al tráiler cerca de la medianoche. Pero me consta que durante todos esos actos sólo aquel óvalo castaño ocupaba las paredes de su cráneo.

Había empezado la época de las lluvias. Él detesta la lluvia; por eso cuando sentía las primeras gotas pedaleaba tan rápido como podía entre casa y casa y, a veces, ni siquiera se bajaba en aquellas de amplio jardín, sino que probaba su puntería lanzando el periódico desde la calle. El fardo de papeles no siempre quedaba a resguardo del agua, pues en ocasiones golpeaba en una puerta o una ventana y rebotaba hasta un charco bajo los habituales rosales, y las noticias terminaban inundadas, enjutas de frío, arrulladas por sapos trasnochados.

Pero no en aquella casa. Allí dejaba de rehuir las líneas de agua que bajaban de los canales del tejado, hundía sus pies en el barro, desatendía el frío; en fin, para decirlo de la forma más apegada a la realidad, invertía de tres a cinco segundos bajo el chubasco esperando recibir la compensación de la cortina. En esto era, sí, bastante básico: suponía que, al mirar a través de la cortina siempre en el mismo ángulo, en el preciso minuto en que días antes había visto el óvalo, repetiría la experiencia de manera paralela a la primera vez. Él no podía saber que cada vez hay un paso, un giro, que imprime una diferencia en los ciclos a los que se ciñen las personas a lo largo de una retícula en el tiempo; que el individuo más rutinario siempre será un ser distinto bañándose en un río distinto.

Quizás podría haberlo comprendido si se hubiera detenido a analizar el hecho simple de que ya se iba. Había dejado el periódico en la puerta de la casa, había levantado la mirada en el ángulo que ya conocía y no había visto nada en lo absoluto; se dirigía ya hacia su bicicleta y un destello de curiosidad le hizo voltear. El ángulo y la dirección del viento eran distintos, como su posición y lo que vio: unas pocas hebras —cuatro, cinco mechones son apenas unas hebras en una cabellera multitudinaria— de un cabello, también castaño, que seguía trémulo los movimientos de la cabeza de una mujer joven que conversaba y reía. Sintió el impulso irrefrenable de acercarse hasta la ventana y abrir la cortina, lanzar sus ojos a campo traviesa hasta aquel cabello pleno de alboroto, frugal y castaño como el óvalo.

En unas semanas, con la suficiente perseverancia, pudo apreciar el color y la brillantez de su espalda, los locuaces movimientos de su torso durante un baile solitario, las formas de una de sus piernas sumergiéndose poco a poco en un abrazo de tela, su fina voz casi de niña cantando, una de sus manos con las uñas bien pintadas apoyada con descuido en el marco de la ventana. Casi habría podido armar en su mente una imagen total, diseñada mediante esos retazos, pero su escaso poder de abstracción conspiraba contra él.

El día que lo despidieron de la distribución hacía frío y había amenazado lluvia desde temprano. No hizo ningún esfuerzo por conservar su empleo, a pesar de que le gustaba muchísimo más que el de la gasolinera, de donde salía cada noche impregnado del hedor a combustible. De cualquier manera, se sentía tan bien que le importó poco; de hecho, creo que igual pudo perder un brazo y ni siquiera se habría percatado.

Esa mañana, un cambio en la disposición de los elementos de la casa lo turbó hasta el punto de que dudó si entrar o no. La ventana estaba cerrada y la cortina cubría a la perfección, sin hendijas, su marco; la puerta abierta dejaba ver una mesita con un teléfono y un retrato en blanco y negro de una mujer madura y hermosa. Un carro encendido esperaba en la calle y un hombre alto, de unos cincuenta años, acomodaba su chaqueta de espaldas a él, que permanecía indeciso en el umbral del jardín con el periódico en la mano, tratando de asimilar esas pequeñas irrupciones de la sorpresa que diferenciaban tanto la habitual escena matinal.

Fue un tiempo minúsculo el que transcurrió, apenas unos segundos, cuando el hombre reparó en su presencia. No se extrañó demasiado de verlo allí, de pie, estático como un árbol; supuso que se trataba de una forma básica de cortesía o de vergüenza. Le hizo ademán de que se acercara; él obedeció y le alcanzó el periódico alargando el brazo. Luego dio media vuelta y caminó hacia la salida mientras el hombre le advertía a alguien dentro de la casa que no podía esperar mucho más. Se detuvo ante la bicicleta para frotarse las manos, entumecidas por el frío; lanzó una mirada furtiva al carro y vio al hombre, de espaldas a él, sentado ante el volante leyendo los titulares.

Ya se había encaramado en la bicicleta y se disponía a seguir su ronda, pero las piernas no le respondieron cuando escuchó el portazo y miró hacia la casa; de hecho, todo su cuerpo se había reducido a lo que podían percibir sus ojos. Ella corrió por el camino del jardín y se subió al carro sin siquiera mirarle. Fue la primera vez que la vio; fue sólo un instante, pero le bastó para completar en su mente el rompecabezas cuyas piezas había venido recogiendo en las semanas recientes.

Fue cuando el carro desapareció en una esquina que se dio cuenta del suave calor que inundaba su rostro. Estoy seguro de que él no comprendía a cabalidad la naturaleza de su reacción; sin demasiada conciencia al respecto, se encontró de pronto pedaleando a toda velocidad por las calles de la urbanización, ajeno al frío, a los baches y a los vehículos, ajeno a sí mismo como se podía inferir de la expresión de su rostro. Se detuvo al fin en un pequeño puente a unas pocas cuadras del galpón de la distribución; allí acabó con su carga lanzando los periódicos al río. Con los codos apoyados en la baranda del puente vio pasar, empapados, los índices de inflación del país, los problemas en la universidad, la balacera del día anterior, las últimas decisiones del gobierno. Poco después supe que, mientras contemplaba los periódicos seguir dóciles la corriente, sus labios esbozaban una indescriptible sonrisa infantil.

Alguien de la distribución tuvo que haberlo visto, pues cuando llegó con su bicicleta vacía uno de sus compañeros le avisó que le esperaban en la oficina. Su jefe le preguntó qué le había pasado y le insinuó algo sobre anteriores muestras de irresponsabilidad; él se limitó a disculparse y recibió el despido con un enigmático movimiento de la cabeza.

Sus días volvieron a ser tan aburridos como antes, pero no quiso por el momento buscar un nuevo empleo. Uno de sus compañeros en la gasolinera se enteró de las razones del despido y quiso hacer chanzas a costa de ello; él lo negó todo sin mayores explicaciones. En cualquier caso, a nadie allí le interesaba en realidad conocer el episodio en detalle; todos estaban demasiado ocupados en llenar tanques, limpiar vidrios, revisar aceites.

Creo que no había transcurrido aún una semana desde su despido. Eran cerca de las diez de la mañana pero él no se decidía a dejar la cama. Estaba acostado bocarriba y miraba el techo del tráiler, incómodo por los ronquidos ebrios de su padre. Hacía frío; a través de la ventanilla que estaba al alcance de su mirada sólo podía verse un manto gris que cubría el cielo. Dio una vuelta sobre su costado izquierdo y se arropó un poco; ya volvía a quedarse dormido cuando escuchó que tocaban a la puerta del tráiler.

En un primer momento supuso que se lo había imaginado. Abrió los ojos y miró hacia la ventanilla, que mantenía su gris uniforme. De una manera un tanto absurda, dada la distancia entre la puerta y la ventanilla, esperaba descubrir a través de ésta una pista de lo que ocurría. Nadie había tocado nunca a la puerta del tráiler, lo que le daba más fuerza a su idea de que los golpes no habían sido reales. Entonces tocaron de nuevo.

Era ella. Completa, cabal, totalmente ella; su castaño cabello multitudinario, su piel clara, sus labios pequeños enrojecidos por el carmín, sus manos entrelazadas haciendo nerviosos movimientos, su cuerpo joven y fresco, sus senos apenas insinuados bajo la tela amarilla del suéter, sus ojos negros que sollozaban. Sé que fue el estupor lo que lo paralizó; quizás en ese momento llegó a lamentar su ignorancia en torno a lo que hubiera sido más conveniente hacer. Ahora que la tenía frente a sí, que habría podido tocarla si sus brazos se hubieran movido apenas medio metro, que habría podido hablarle si su boca se hubiera abierto, no sabía qué hacer. Es probable que ella también estuviera paralizada de tanta proximidad, aunque sé que él no tenía cómo sospecharlo siquiera.

No me extraña que se hayan observado largamente, como tratando de fijar las imágenes en sus retinas, abrazándose con la mirada, besándose con labios lejanos e incapaces de salvar la pequeña distancia que los separaba, sumergidos en una felicidad sufriente e intolerable. Ella hizo un gesto con la cabeza y abrió los labios; le costó aún unos segundos sobreponerse al sollozo. En realidad habló poco: él sólo escuchó algo sobre un definitivo e impostergable viaje a España. Ella no pudo seguir hablando; oprimió sus labios sin control y dio un paso hacia atrás. Dudó un instante y, por fin, se acercó hasta él, que permanecía congelado sosteniendo la puerta; secó entonces su llanto con una mano, y él sintió que estallaba en mil pedazos cuando sus labios fueron acariciados por aquellos dedos húmedos. No supo qué ocurrió los segundos siguientes hasta que la vio alejarse apresurada, en dirección al carro donde la esperaba el hombre. Fue la segunda y última vez que la vio.

Estuvo todavía otro rato de pie junto a la puerta. No me cabe la menor duda de que nunca comprendió. Las primeras gotas de la lluvia borraron la salina sensación de sus labios y se sentó en la escalerilla del tráiler. Miraba la calle con indiferencia mientras pensaba, quizás sin razón, en su madre muerta.

MINOTAURO

El domingo me mudé. La casa tenía tres pisos y mi habitación quedaba en el segundo, lo que se complicó pues la casera, una señora sesentona de sonrisa diligente y perenne medioluto, se empeñaba en decir que eran cuatro y que yo viviría en el tercero. Cuando llegué me invitó a un café que nos tomamos en la salita de la planta baja —que ella identificaba como "primer piso"— y, después de revisar mis referencias y hablarme de las condiciones del alquiler, me preguntó si quería pasar al "tercer piso" —el segundo, en realidad— a ver la habitación.

Atravesamos unas cortinas al fondo de la salita y empezamos a subir las escaleras. Aunque con buenos acabados —nada de ladrillos al descubierto o cableados reptando por las paredes—, era fácil notar que todo desde el primer piso había sido añadido a una construcción original que se limitaba al zaguán, la salita, la cocina, tres habitaciones y un baño. Era una de esas casas humildes que en los setenta compraba la gente humilde, y que años y necesidades hacían crecer habitación por habitación, como organismos vivos.

Al llegar al primer piso la señora me hizo pasar a un pequeño pasillo en forma de ele. A la derecha, una habitación se mantenía abierta. Un hombre maduro y obeso dormía la siesta con el televisor encendido pero sin volumen. Algo en mis ojos hizo que la señora se apresurara a aclararme que era el único inquilino al que se le permitía algo así, y que por las noches cerraba su puerta como es normal. Esperaba, me dijo, que no me molestara en ocasiones tener que ver lo que hacía el inquilino en su habitación, pero asumí que estaba siendo retórica y que en realidad debía pasar por alto ese detalle si quería vivir allí.

La señora abrió una puerta de hierro y subimos otras escaleras que, como supuse cuando cruzamos el pasillo de abajo, no habían sido construidas en forma paralela a las anteriores. Ya en el segundo piso vi que las habitaciones estaban dispuestas alrededor de un hueco central por el que podía verse toda la casa excepto la planta baja, protegida por un techo que en su parte superior tenía mesas, sillones y una rudimentaria cocina para quien la necesitara. Un espacio para los inquilinos que a su vez estaba protegido por un techo sobre el tercer piso, el cuarto según la señora, con grandes ventanales para recibir la luz del sol y rejas para rechazar visitas indeseadas.

La casa, entonces, era más grande de lo que podía uno figurarse desde afuera. Ninguna de las habitaciones tenía salida directa hacia el espacio central ni hacia la calle, pues todas estaban agazapadas a los lados de varios pasillos que atravesaban los pisos, y que se conectaban a través de otros dos pasillos perpendiculares a los otros. En el medio de cada tramo, un baño servía a los inquilinos de las dos habitaciones que lo flanqueaban. Las puertas y los pasillos estaban obscenamente limpios de detalles distintivos; a los inquilinos se les permitía decorar el interior de las habitaciones a su gusto, pero los espacios comunes eran intocables.

Era la mejor habitación, aseguraba la señora mientras entraba con pasitos apurados y miraba con disimulo que no hubiera alguna indeseable mota de polvo vagando por allí. Y, aunque no le creí, me sentí agradecido de que la que sería mi ventana me permitía ver la calle lateral, incluso a pesar de que la vista era interrumpida por un enorme galpón industrial. Me imaginaba que allí podría asomarme por las noches, después del trabajo y de la cena y de las complicaciones cotidianas, fumarme un cigarrillo y pensar en nada hasta que llegara el sueño.

Antes de salir deseándome todo lo mejor, la señora me dejó un papelito con el número de su celular y me indicó que podía enviarle mensajes hasta las diez de la noche si se me presentaba algún problema. Cerró la puerta tras de sí y esperé hasta que dejé de oír sus pasos en el exterior. Entonces saqué mi juego de llaves y me puse a probar la cerradura para familiarizarme con ella y prevenir cualquier problema que pudiera convertirse en una molestia más adelante.

Una cama, una peinadora, un espejo, un armario de madera, una pequeña mesa y una silla eran todo el mobiliario de la habitación. En la cama podría leer, fumar y comer; la peinadora y el armario albergarían mis efectos personales; la mesa me serviría de escritorio y la silla, de silla. No se necesita de mucho para una vida tranquila. Una vida cómoda, en cambio, requiere de inversiones y estabilidades a las que no puedo acceder.

Abrí mi maleta en el suelo con la intención de desempacar pero el cansancio me condujo casi de inmediato a la cama. Me recosté y en un instante me sumergí en ese estado intermedio entre el sueño y la vigilia. De cuando en cuando una puerta se abría y se cerraba allá afuera, a lo lejos, y yo abría y cerraba mis ojos sin saber si lo que éstos percibían era la habitación que acababa de alquilar o una habitación diseñada por mi mente en esos arrabales por los que ésta suele internarse cuando se la deja libre de la conciencia.

Eran cerca de las nueve de la noche cuando me levanté, resuelto a darme un baño y seguir durmiendo.

No quería que se me hiciera más tarde dada la advertencia de la señora de que sólo podía escribirle hasta las diez. Uno nunca sabe qué se va a encontrar en un baño que no conoce. Incluso en los baños que uno conoce debe entrar con ciertas precauciones.

Me armé con mi paño y una bolsa en la que llevaba el jabón, el champú, el cepillo y la pasta de dientes. Salí y cerré mi habitación con alguna dificultad a causa de la escasa luz —y también, debo decirlo, de mis obsesiones particulares con las llaves y el resguardo de mis pertenencias. Un resplandor por debajo de la puerta del baño me dio a entender que estaba ocupado, así que me dispuse a devolverme. Pero entonces escuché que desde adentro daban la vuelta al pasador, y la puerta se abrió.

Del interior, secándose las orejas con un paño que juzgué demasiado pequeño para cubrir sus gracias, salió una mujer desnuda. Me quedé paralizado sólo unos centímetros delante de ella, mirándola por un rato que debió ser de varios segundos, pues tuve tiempo de detallar sus tetas, su sexo y hasta los vellitos amarillos de sus brazos encendidos por la luz del baño.

Tuvo que darse cuenta de que yo estaba allí, pero me ignoró por completo. Pensé que iba a decirme algo, disculparse por salir así o culparme por estar embobado delante de su cuerpo húmedo y sin rostro, pero sólo siguió caminando hasta su habitación, sin cubrirse. Lo último que vi de ella fueron sus nalgas generosas, una grupa que se bamboleaba despreocupada con una impudicia que, paradójicamente, advertía sobre la insensatez de poner una mano en ella sin invitación.

El lunes fui a trabajar como un zombi. Me había costado dormirme, y durante horas estuve dando vueltas en la cama. Cada vez que uno se muda, los nuevos ambientes se comportan como organismos vivos cuyos anticuerpos se resisten a aceptar al recién llegado. Por lo general nada es como uno espera: hay puertas que rechinan, algún enchufe muerto, manchas sospechosas en los rincones, vecinas que salen desnudas del baño.

Las mujeres siempre son un problema. Cuando logras conectar con una tienes que hacerte ciertas preguntas. Deseas que no esté casada, y si es soltera deseas que no tenga algún embrollo que termine complicándolo todo. Deseas que no tenga alguna enfermedad mental o física, pues las primeras te llevan a lidiar con celos y acosos y las segundas, bueno, ya se sabe. Ellas también desearán cosas de ti: que seas solvente, que seas divertido, que estés dispuesto a aceptarles sus manías aunque no tarden en condenarte por las tuyas. Hay toda una serie de elaborados protocolos que atender y siempre hay alguno en el que se falla. Una mujer que sale desnuda al pasillo de una casa de vecindad produce una reacción bífida, a medias tentación y a medias preventivo rechazo.

Varias visitas a la cafetera terminaron en un comentario malintencionado de mi jefe. A regañadientes le reí el chiste antes de volver a mi oficina con la resignación indigna de quien no puede responder de forma apropiada. Resolví aprovechar mi hora de almuerzo para dormir un rato encerrado en el baño. Sentado en la poceta, con la camisa desabrochada para soportar el calor, hice lo posible por abrazarme a un sueño frágil, a menudo interrumpido por la incómoda posición y por las conversaciones rutinarias de los compañeros que entraban y salían sin cesar.

Las arduas horas de la tarde pasaron con toda la lentitud de que pudieron hacer acopio. Además del sueño, ahora tenía que lidiar con el hambre, de manera que al salir entré a un restaurante cercano y comí cualquier cosa. Ni siquiera los dos niñitos que correteaban entre las mesas lograron distraerme de mis urgencias.

Cuando llegué a la casa me recibió la señora con la amabilidad que todavía podía disfrutar por ser un nuevo inquilino. Me ofreció un café que agradecí con elocuencia y me preguntó cómo había pasado la noche, cómo había dormido, si me había gustado mi habitación. Le mentí al decirle que dormí como un bebé; fui sincero al decirle que estaba conforme con la habitación; evité hacer cualquier comentario sobre mi impúdica vecina.

Las ventanas, me dijo entonces, no debían dejarse abiertas, pues el viento las batía con fuerza y ya había tenido que reponer varios vidrios. Sin embargo, tenían un sencillo mecanismo para dejarlas entreabiertas en las noches calurosas, y me acompañó con la excusa de darme las instrucciones del caso, lo que supuse era en realidad una artimaña cuyo objetivo último era comprobar si el nuevo inquilino era ordenado y juicioso. Por suerte antes de irme al trabajo había puesto mis cosas en el armario y no había desbarajuste alguno que lamentar.

Mientras atravesábamos los pasillos y escaleras —esta vez el inquilino del primer piso estaba sentado en la cama comiendo cereal y mirando la televisión—, me contó que la casa había sido ampliada por su difunto esposo. Dios, agradeció, los había provisto con una casa pequeña pero asentada en un terreno amplio y resistente donde poder crecer en superficie y altura. Pero sus designios, los de Dios, repitió, son insondables, y acababa de frisar las paredes del nuevo cuarto piso —el tercero, claro— cuando un infarto lo envió a reunirse con sus mayores. Le habían quedado un hijo y una hija; ambos vivían allí todavía; el hijo la ayudaba con las cuentas, la administración y algún que otro inquilino que se ponía difícil; de la hija no habló, y yo no pregunté.

Así llegamos a la habitación. Iba a sacar mis llaves para abrir, pero ya ella había blandido las suyas y se adelantó. Entró delante de mí y caminó resuelta hacia las ventanas aunque, tal como supuse que haría, echó una rápida mirada a cada rincón de la habitación. El hijo, siguió contándome mientras abría las ventanas, heredó del padre sus habilidades para construir y reparar las cosas de casa. Un día decidió que estaba perdiendo demasiado tiempo reponiendo vidrios rotos, y se ingenió unas manillas que permitían mantener entreabiertas las ventanas en un ángulo fijo, evitando así el riesgo de que el viento las destrozara.

Con una minuciosidad innecesaria me explicó cómo calzar las manillas en unos pequeños orificios hechos en el marco. De esa manera podían abrirse ambas ventanas, pero pronto, me dijo, comprobaría que con una sola bastaba para espantar el calor. A todas luces orgullosa de la inventiva del hijo, se puso a calcular cuánto dinero en vidrios repuestos les habían ahorrado las dichosas manillas.

Dando por terminada su visita, y antes de salir, volvió a inspeccionar la habitación, esta vez con menos disimulo. Ya en el pasillo, mientras se despedía, miró a su derecha e interrumpió de repente su discurso para amonestar a mi vecina, que volvía a salir del baño desnuda. Me asomé y, a través de los regaños de la señora, alcancé a ver su espalda, sus nalgas y sus piernas que caminaban sin prisa alguna de regreso a su habitación. Entró sin titubear, pero no cerró la puerta. La señora se detuvo en el umbral durante un par de segundos, me lanzó una mirada fugaz y entró.

Desde mi puerta la escuché reprenderla a gritos. Decidí que lo mejor era encerrarme de inmediato y recostarme a esperar que pasara el temporal. Sentí un extraño alivio al saber que podría usar el baño sin tener que enfrentarme al portento que es siempre una mujer demasiado segura de sí misma. Me pregunté cuántos inquilinos en el pasado se habían topado con aquellos pezones pequeños y erguidos, con aquel sexo cuidadosamente rasurado, con aquella espalda húmeda que se alejaba displicente, dejándolo a uno sediento. La lascivia es la forma más básica de la ambición.

Agucé el oído, pero apenas percibí uno que otro grito aislado e ininteligible de la señora hasta que, minutos después, dio un portazo y marchó apresurada por el pasillo. Supuse que una situación como esa podía ser resuelta sin mayores inconvenientes por cualquiera de las dos partes: la señora podía echar a la inquilina, valiéndose quizás del apoyo del hijo si se negaba a irse; la inquilina podía dejar de salir desnuda o mudarse. Pero era obvio que la señora había tenido que lidiar muchas veces con la nudista y era obvio también que a ésta la tenían sin cuidado sus regaños; de hecho, el número de exhibicionismo parecía tener la intención expresa de provocar a aquélla. Ya me estaba quedando dormido cuando me sobresaltó la idea repentina de que mi vecina podía ser la hija de la que la señora prefería no hablar.

El martes, al regresar del trabajo, volví a encontrarme con la señora en la entrada de la casa. No habían disminuido un ápice su amabilidad, su sonrisa diligente ni el agradable sabor de su café, pero era evidente que se había instalado una tensión casi imperceptible entre nosotros, sin duda a raíz del episodio con la vecina impúdica. Sin embargo, ninguno de los dos mencionó el tema.

La acompañé un rato mientras lavaba las tazas y, cuando estimé que la conversación no daba para más, me despedí para subir. Ella me detuvo alertándome de cierto problema con unos enchufes que debía revisar, se secó las manos, cogió presurosa sus llaves y subió conmigo. Por el camino se mostró interesada por mi trabajo, preguntándome si me sentía bien allí y contándome cualquier anécdota de quién sabe qué amigo o conocido que tenía un trabajo similar.

Esta vez no vimos a la inquilina, o a la hija si es que mis especulaciones apuntaban en la dirección correcta. Sin embargo noté que antes de entrar la señora miró por un instante hacia la puerta del baño. Después de probar los cuatro enchufes de la habitación en una inspección que me pareció al menos morosa, volvió a mirar hacia allá. Entonces se despidió, pero se quedó en el pasillo esperando que yo cerrara mi habitación. La escena no dejó de ser algo divertida, y cerré deseándole las buenas noches.

Abrí las ventanas y encendí un cigarrillo. En la calle discutían a gritos, cada uno desde su carro, dos hombres que no terminaban de ponerse de acuerdo sobre quién debía darle paso a quién. La calle lateral a la casa era estrecha y de una sola vía; como ocurre en todas las calles marginales del mundo, siempre había alguien que decidía cortar camino atravesándola en sentido contrario, convencido de que la encontraría libre de uno a otro extremo. En algún momento uno de los dos cedió de mala gana y el asunto se resolvió sin incidentes.

Reparé en que, por debajo del olor de mi cigarrillo, se estaba colando el de una marca distinta. Quien tiene tantos años fumando se familiariza con el olor de su marca como si se tratara del aroma del pan horneado por la madre. Miré a mi derecha y vi que las ventanas de la vecina estaban abiertas y ella, con un brazo apoyado en el marco, fumaba. No podía ver su rostro, apenas se notaba su brazo, pero sí veía con claridad cómo, después de cada bocanada, una nube azul era despedida hacia el exterior. El viento, no sin descaro, la llevaba hasta mí.

Imaginé que fumaba desnuda sin importarle que alguien pudiera verla desde afuera. No tenía cómo comprobarlo, pero un vistazo a la calle casi desierta me lo confirmó: en imprudente postura, atrincherado detrás de un carro estacionado, un niño de unos once años miraba con lujuria recién estrenada en dirección a mi vecina. Minutos más tarde las ventanas se cerraron y el niño todavía esperó un rato para marcharse. Escuché entonces cómo se abría y se cerraba la puerta del baño. Estuve tentado a salir tras un momento, quizás esperar en silencio en el pasillo, quizás decirle algo aunque no me respondiera. Pero no, mejor no.

El miércoles compré mi cena en un restaurante chino. Al entrar tenía intenciones de comer allí, pero luego decidí llevarme la comida a casa. Cuando se vive en una habitación alquilada, declarar que se va "a casa" es una manera de ahorrarse explicaciones, no es mi casa en realidad, no vivo en toda la casa en realidad, vivo en una habitación en realidad, no es mi habitación en realidad, no es mi baño en realidad, debo compartirlo con una vecina que se pasea desnuda por el pasillo pero a la que no le he dirigido palabra alguna entre otras cosas porque ni siquiera es mi vecina en realidad.

La señora volvió a recibirme con café, pero la sonrisa otrora diligente esta vez me pareció un poco artificiosa. Miraba con desconfianza la bolsa con la comida, y tan pronto le devolví la taza me preguntó si había comprado para una o dos personas. Pensé que semejante absurdo sólo daba bases más sólidas a mi especulación respecto al parentesco entre ella y mi vecina nudista, pero fingí extrañeza y le dije que por supuesto la cena era para mí, para quién más. Por toda respuesta ella agarró sus llaves y, sin mayores cortesías, se dispuso a subir conmigo. Ya en la habitación, se limitó a despedirse en el umbral y esperó a que yo cerrara la puerta.

En todo caso, no era una suposición descabellada la que se había hecho la señora. Había tenido toda la noche de cada día que llevaba viviendo allí para intentar algo con mi impúdica vecina. Sólo habría bastado la frase correcta para saltar por encima de su indiferencia y lograr acercarme a su desnudez. Ella accedería y vendría a fumar conmigo en la ventana. Ambos estaríamos desnudos aunque el mundo sólo notaría sus tetas y su violento mutismo. Quizás comería conmigo, sentada en la cama en posición de loto, sin mirarme, aunque su sexo sí que estaría observándome fijamente, impúdicamente.

Oí abrirse la puerta de su habitación y de un salto me puse en pie. Salí a toda prisa al pasillo y allí estaba. Caminaba con expresión aburrida sosteniendo el paño en su mano izquierda, atenta al movimiento de sus piernas y a nada más. Simulaba no darse cuenta de mi presencia, aunque estuve frente a ella durante varios segundos, los mismos que desperdicié tratando de figurar la frase correcta para llevarla a mi habitación. Empecé a articular una pregunta simple, quieres comer, sólo dos palabras sin adornos, limpias y francas, pero ella cerró la puerta del baño antes de que terminara de pronunciar la primera. El sonido inconfundible de los pasos de la señora a través del pasillo contiguo me hizo devolverme corriendo a mi habitación.

El jueves ni siquiera hubo café. Con toda seguridad la noche anterior, mientras se acercaba, la señora había alcanzado a oír mi puerta cerrarse. Me preguntaba si había sido la desconfianza o una razón legítima lo que la había hecho devolverse hasta el segundo piso, el tercero según ella. También cabía la posibilidad de que, siendo madre e hija, reservaran un canal de comunicación para las emergencias, como podía ser el acoso de un inquilino inundado de lascivia. Treguas breves para que la hija pudiera informar a la madre si su desnudez había abatido el sentido de la prudencia de algún vecino que, con una excusa pueril —una comida, por ejemplo—, pretendiera ganarse su confianza para apreciarla a placer, y no sólo con el sentido de la vista.

Las tantas vueltas que para entonces le había dado en mi cabeza al asunto me llevaron a asumir al fin la certeza de que ambas mujeres eran madre e hija. Si no por qué la tolerancia de la señora, la tranquilidad con que mi vecina se paseaba desnuda, la propiedad con que la señora se permitía entrar a la habitación de mi vecina para reprenderla. Y, claro, el gradual pero férreo recelo que la señora desplegó contra mí desde el lunes, cuando vio cómo mis ojos le seguían el paso a la grupa espléndida de su hija.

La sociedad establece el pudor como uno de nuestros primeros aprendizajes, pero hay familias en las que esto puede fallar. La casa estaría empezando a crecer, y por lo tanto a albergar a extraños, convirtiendo en un problema la impudicia de la hija. Ésta sería ya una adolescente, y los reproches de los padres sólo excitarían su tendencia a la rebeldía. Quizás el difunto había tenido que enseñarla a golpes, quizás durante años la hija limitó su desnudez al espacio privado de su habitación.

Pero, a la muerte del patriarca, ya no había razón para cubrirse, dada la limitada autoridad de la madre. En algún momento ésta se habría visto forzada a condenar a la hija al destierro en una apartada habitación en uno de los pisos superiores, donde los efectos de su desnudez, que en la planta baja habrían sido devastadores, podían ser contenidos con la vigilancia apropiada.

Porque, a fin de cuentas, una madre siempre será una madre, pensé, y protegerá a sus hijos aunque no lo parezca. Recordé una entrevista que vi hace años por televisión en el noticiero del mediodía. Un delincuente que había ultrajado a varias niñas fue capturado y linchado por un grupo de hombres de la comunidad. Al reportero le sorprendió que la madre del violador agradeciera a Dios el hecho. Fue lo mejor para él y para todos, decía la señora con un sollozo sereno.

El viernes era día de cobro y en el trabajo habíamos planeado ir a bailar. Como centro de operaciones escogimos tres mesas al fondo, desde donde podríamos observar todo el local cuando, en unas horas, estuviera a reventar. A las ocho en punto llegó la música en vivo y las secretarias de administración que logramos arrastrar vieron satisfecha su modesta fantasía de convertirse en mujeres solicitadas. Después de cada pieza llegaban quejándose del calor y de los zapatos y de la voz de la cantante, pero no terminaban de acomodarse en sus sillas cuando ya estaban levantándose para la pieza siguiente.

Hacia las diez de la noche casi todos estaban bailando y sólo quedábamos cuatro hombres en la mesa. Había evitado hablar en el trabajo de los paseos de mi vecina impúdica, pero en ese punto en que las erres y las eses se combinan haciendo una masa informe con las vocales, se suele abandonar toda discreción. Mis compañeros escucharon el relato con la boca abierta y con retozona curiosidad hasta que narré cómo fallé en mi intento por atraer a mi vecina hacia las fauces de mi habitación. Uno de ellos me interrumpió y dijo que un hombre que se precie debía forzarla a entregar las armas. Le pregunté a qué se refería y él urdió un silogismo aterrador: para el fornicio sólo hacen falta dos personas y la total carencia de ropa, luego si esta mujer se pasea desnuda por los pasillos de la casa es porque está clamando ser poseída. Se iba a detener allí, pero agregó: poseída por un hombre de verdad. Y cuando intenté argüir que lo que estaba sugiriendo era que la violara, los otros dos lo apoyaron. Entonces dejé de hablar y no pasó mucho tiempo antes de que se pasara a otra cosa.

Después de una ruidosa despedida, tomé uno de los taxis que se apostaban a la salida del local. Eran más de las dos de la mañana y me costó recordar el camino, por lo que tuvimos que volver un par de veces a la vía principal del barrio hasta que di con la esquina correcta. El rodeo me costó algunos billetes de más, pero los pagué gustoso por estar al fin frente a la entrada de la casa.

Aunque la señora me había aclarado desde el principio que era libre de llegar a la hora que quisiera, entré con extremo sigilo. No tenía el equilibrio de la sobriedad y cualquier traspié podía terminar en un desastre, alarmando a la mitad de los habitantes de la casa. Atravesé el zaguán sosteniéndome de una de las paredes y casi me felicité de arribar a la salita a oscuras, donde me detuve un momento para examinar los alrededores más con el oído que con la vista. Sólo se escuchaba el tictac de un reloj de pared y un perro que ladraba aburrido a algunas calles de distancia. Decidí alumbrar un poco la estancia con el celular, pero me enredé con el bolsillo y saltó de mis dedos sin que llegara a activar la pantalla. Lo escuché vagar presuroso por el piso y maldije en silencio. Saqué el yesquero y arrastrándome busqué en vano bajo el pequeño escaparate y los sillones de la salita, pero la llama hizo arder una hebra de hilo y comprendí que en mi estado era mejor no apelar al fuego.

Ya la señora encontraría el celular y me lo devolvería en la mañana, me dije. Busqué las cortinas del fondo y me puse a andar, pero en lugar de las escaleras me encontré con un baño en desuso que servía de depósito de un montón de cosas en desuso que, en aquella oscurana, adoptaban una apariencia siniestra. Asombrado por mi torpeza, todavía me quedé un rato tratando de hallar unas escaleras que me negaba a aceptar que no estaban allí, como si hubieran tenido la intención expresa de traicionarme cambiándose de sitio. Volví sobre mis pasos, crucé las cortinas y llegué de nuevo a la salita.

Recorrí las paredes con la mirada hasta que di con un espacio brumoso. Si estas no son las cortinas correctas deben ser aquellas, pensé, y me puse en marcha. Esta vez sí tuve suerte: no sólo tenía ante mí las escaleras hacia el primer piso, sino que una luz débil proveniente del exterior bañaba los escalones dándome al menos la visibilidad suficiente para no tropezar. Paso a paso subí con prudente lentitud y cuando al fin alcancé el primer piso respiré con alivio.

Encendí el yesquero por un instante, sólo lo necesario para tener puntos de referencia, y pronto di con el pasillo en forma de ele. Pegado a la pared caminé hasta allí y encontré la puerta de hierro que daba paso a las escaleras. Desde donde estaba podía oír con absoluta claridad los ronquidos del inquilino que vivía allí. Abrí cuidando de no hacer ruido y me dispuse a subir, pero en lugar de ello rodé aparatosamente por unos escalones que bajaban.

Cuando desperté noté que algo líquido había entrado a mi ojo derecho produciéndome escozor. Me limpié con la mano y me di cuenta de que era sangre que brotaba de un raspón en mi frente. Todavía estaba húmeda, por lo que inferí que no había pasado mucho tiempo inconsciente. Me quedé un rato acostado en la oscuridad, sin moverme, aterrorizado de haberme partido algún hueso, hasta que recobré el aplomo para pasar revista a mi cuerpo inerte. Lo que más me dolía era la rodilla izquierda —que de seguro había fungido de tren de aterrizaje—, la espalda y la cabeza. Moví los dedos de pies y manos para verificar que todo estuviera en orden y, aunque con dificultad, me levanté.

Decidido a no correr más riesgos, encendí el yesquero. La luz que me proporcionaba era muy tenue, pero pude saber que estaba en un espacio interior de la casa con techo y paredes de metal, nada parecido a las consistentes estructuras que ya conocía. Me volteé a ver la escalera por la que había caído y me sorprendió comprobar que era más bien baja, de sólo unos pocos escalones, pero los suficientes para costarle la vida a un hombre borracho y desprevenido.

Aún bastante mareado, sentado al pie de la escalera, deduje que el pasillo en forma de ele en realidad tenía forma de te, y que yo había tomado el camino equivocado. Recordé entonces que, primero por solícita y luego por desconfiada, la señora me había acompañado cada día hasta mi habitación, por lo que no tuve el cuidado de fijarme en puntos de referencia que me permitieran llegar por mis propios pasos.

Subí la pequeña escalera para devolverme y ponerme en marcha una vez más, pero al pasar había cerrado la puerta y, sin la llave adecuada, no había manera de abrirla desde donde estaba. Estuve a punto de entrar en pánico; pensé en golpear la puerta hasta que alguien viniera a rescatarme, pero deseché la idea ante la perspectiva de despertar a los otros inquilinos, con lo que mi torpeza se convertiría en una de las historias predilectas de la casa en las décadas venideras. Es notable cómo, en ciertas situaciones límite, sacrificamos el sentido común para no dejar al descubierto nuestras insignificantes vergüenzas.

Me volteé y con la magra luz del yesquero intenté examinar el lugar, pero era muy poco lo que alcanzaba a ver. Una corriente de aire apagaba la llama con facilidad —extrañé mi celular con amargura—, por lo que tuve que protegerla con una mano mientras bajaba los escalones. Pasé al lado de un enorme cubículo de metal y me asomé con cautela. Dentro había una lavadora, una secadora y unas cestas para ropa. Ya me iba cuando advertí un interruptor y encendí la luz.

Dado el ángulo de la puerta sólo se iluminaban unos cuantos metros de la estancia, pero alcancé a ver que ante mí se extendía una especie de terraza, por fortuna abierta hacia el frente de la casa. Por la diferencia de altura entre la escalera por la que había subido hasta el primer piso y la escalera por la que había rodado hasta la terraza, deduje que se trataba del techo de la planta baja. Después de atravesar una tabiquería de metal, me encontré a cielo abierto.

Seguí caminando hasta que la terraza dobló haciendo esquina con el borde de la casa, donde me detuve para mirar el tramo recorrido y el que me quedaba por recorrer. Salvo algunos detalles, cada uno parecía un calco del otro. Ya no puedo perderme más, pensé antes de continuar. Esperaba que en algún punto hubiera una manera de entrar a la casa, aunque fuera otra escalera inesperada, aunque cayera como un costal de papas en el jardín, de donde no me levantaría hasta que la señora me hallara en la mañana.

Pero al llegar a la siguiente esquina el camino se cortaba en un breve recodo techado donde una pila de sacos de cemento pegada a la pared advertía que la casa todavía podía seguir creciendo. Vencido, bajé uno de los sacos para ponerlo en diagonal apoyado en los otros, y me recosté. Encendí un cigarrillo y lo fumé con la calma de la derrota mientras enumeraba todas las cosas que habían salido mal. Haber rodado por aquellas escaleras no era una de ellas: era sólo la consecuencia de todas ellas. Era el resultado infausto de haber asumido como una ele lo que en realidad era una te, de haber perdido el celular, de haber llegado después de las diez de la noche, de haberme emborrachado, de haber confiado en la guía diaria de la señora, de no haber avanzado con mi vecina impúdica, de haber alquilado esa habitación.

Apagué el cigarrillo con el pie y noté que tenía mojado el zapato. Una llovizna había empezado mientras yo me sumergía en la autocompasión. Me acurruqué debajo del techo pero pronto la llovizna se convirtió en lluvia, y se me hizo obvio que a todos los peligros que había corrido debía agregar ahora la posibilidad de morir de un catarro. Tratando de protegerme me encaramé sobre los sacos que estaban pegados a la pared, y fue así como vi que ésta conectaba con otra que quizás me serviría para entrar a la casa o caer al jardín.

Puse los sacos uno sobre otro con toda la rapidez posible, pero aun así estaba empapado cuando me subí a ellos y llegué al borde de la pared. En efecto, otra pared se iniciaba perpendicular a la de la terraza. Podía ver el jardín a mi izquierda, pero un saliente de la casa hacía casi imposible lanzarse hasta allá con seguridad. A la derecha tenía el camino libre para caer sobre una nueva terraza, más estrecha y corta que la que acababa de dejar. No lo pensé demasiado y salté.

La caída no fue tan leve como esperaba. Me lastimé la rodilla que había salido ilesa cuando rodé por las escaleras y maldije entre dientes. Al fondo vi una esquina y caminé hacia ella, ya sin más expectativas que encontrar un techo donde guarecerme. Pero al cruzar la esquina me topé con otro tramo de terraza que terminaba en una puerta abierta, y a través de ésta, a lo lejos, divisé con alborozo los inconfundibles pasillos de mi segundo piso, el tercero según la señora. Me dirigí hacia allá con tanta velocidad como me lo permitieron mis rodillas maltrechas, pero al atravesar la puerta volví a caer.

No había salido por una puerta, sino por un extraño saliente que de seguro estaba ahí por un error de cálculo del difunto, pues no podía imaginar algún fin práctico para semejante desnivel. En todo caso, ya estaba donde quería. Sólo tenía que llegar a mi habitación y encerrarme hasta el lunes. Me olvidaría de mi vecina. Me haría un mapa de la casa. Me compraría una linterna. Me mudaría.

Un último destello de pesimismo me hizo pensar que quizás había perdido mis llaves en alguna de las caídas previas. Pero no: allí estaban, dóciles y fieles al fondo del bolsillo del pantalón. Aseguré el llavero pasando el dedo índice por su aro y empecé a caminar hacia mi pasillo, del que me separaban sólo unos metros. Cuando llegué a mi puerta apoyé la frente en ella con alivio y me quedé allí unos segundos; respiré profundo, sintiendo la sangre correr por mis sienes. Lo único que podía desear en el mundo, la cama, estaba al otro lado. Entonces traté de meter la llave, pero no entró. Creí que había calculado mal, así que encendí el yesquero para ver bien la cerradura y volví a intentarlo. Pero no entró esa ni ninguna otra. Simplemente no era mi puerta.

Tratando de no perder la compostura, salí al pasillo principal. Con toda seguridad me había equivocado de pasillo, después de tanto golpe y tanta caída. Caminé hasta el siguiente, que era exactamente igual al anterior y, claro, al mío. Encendí el yesquero y probé con sumo cuidado cada llave. Ninguna entró. Fui al siguiente pasillo, y al siguiente, siempre en vano. Cuando salí al pasillo principal para intentarlo con el próximo, miré hacia abajo a través del hueco central.

Sobre el techo de la planta baja, los sillones para los inquilinos dormitaban en silencio bajo la luz de la luna. Ya no me importa nada, me dije. Bordeé el hueco central buscando la escalera con la intención de bajar para dormir lo que quedaba de madrugada en uno de los sillones, aunque se alarmaran los habitantes de la casa al encontrarme en la mañana mugriento y cubierto de sangre. Caminé durante un buen rato y en cierto punto me di cuenta de que estaba viendo los sillones en el mismo ángulo que al principio. Había completado una vuelta y no había dado con la escalera.

Entonces tomé una decisión desesperada. Había caído por todos los huecos de la casa excepto por el hueco central; de cualquier manera, caer otro piso no podría hacerme más daño. Al alzar la pierna sobre la baranda me golpeé la rodilla y maldije mordiéndome un puño. Un dolor punzante me oprimía el pecho y pensé que iba a tener un infarto, pero un segundo después supe que eran sólo ganas de llorar. Bajé de la baranda, me acosté en el piso y lloré con todas mis fuerzas, pero en silencio. No quería despertar a nadie.

Cuando me repuse volví a treparme a la baranda, esta vez con más cuidado. Pasé la pierna con mayor elevación que la primera vez a fin de evitar un nuevo golpe, y pronto pude hacer palanca con mi muslo para levantar la otra pierna. Ya con las dos piernas del otro lado, me agaché agarrándome con fuerza a la baranda. Abandoné un pie al vacío y luego el otro, mientras me sostenía con los brazos enredados en la baranda tratando de reducir la altura de la caída tanto como fuera posible.

Solté mi brazo izquierdo y quedé suspendido en el aire, retenido sólo por el derecho, aún sin la resolución para soltarme pero consciente de que ya no había nada más que hacer. Estaba mirando hacia abajo para prepararme cuando escuché un ruido y alcé la cabeza. Detrás de la baranda aparecieron de pronto sus pezones pequeños y erguidos, su sexo cuidadosamente rasurado. Me miraba con una expresión vacía, como alguien que de pronto siente curiosidad por conocer el color de una prenda o el sabor de una fruta. Fue la única vez que me miró a los ojos. El sobresalto me hizo soltar la baranda, y caí.

El sábado me encontró la señora en un estado lamentable; ensangrentado, con la ropa húmeda y mugrienta y el cuerpo lleno de magulladuras. No se alarmó tanto como pensaba. Me revisó tratando de descartar cualquier posible fractura y luego me ayudó a sentarme en uno de los sillones. Corrió a la planta baja y minutos más tarde regresó con una taza de café y mi celular, que acababa de hallar en un rincón de la salita. Cuando estuve más repuesto me guio por escaleras y pasillos hasta que llegamos al segundo piso, el tercero según ella, y entré al fin a mi habitación.

Dormí casi todo el día. En la tarde, después de un baño, empaqué mis cosas y bajé. Entonces sí encontré sin esfuerzo las escaleras del segundo al primer piso, advertí la puerta adicional en el pasillo que no tenía forma de ele sino de te, llegué a las escaleras del primer piso a la planta baja, todo sin dificultad alguna. Pensé con acritud que la casa había enfilado toda su batería de anticuerpos para expulsarme.

La señora, después de que arreglamos cuentas, me llamó un taxi. Le pedí al conductor que tomara la calle entre la casa y el galpón. Esperaba ver por última vez a mi vecina fumando desnuda con sus ventanas abiertas, quizás decirle adiós con la mano aunque no estuviera mirando. Pero no había nadie.

DIEZ AÑOS DESPUÉS

Con diez años de menos no habría esperado
por sus proposiciones y hubiera corrido como
una fiera al lecho en que nos conocimos
impúdico y sangriento, divino y alado.

***Silvio Rodríguez**, Con diez años de menos.*

—¿Pedimos otro trago?

—Por supuesto.

—Dame un segundo, está sonando el celular.

—No te preocupes.

—¿Sí?

—¿Amor?

—Hola, ¿cómo estás?

—En el trabajo, pensaba en ti y quise oír tu voz.

—Yo también pensaba en ti, amor.

—Cállate.

—¿Pensaste mucho en mí hoy, amor?

—Mucho, amor. Toda la tarde y lo que va de noche.

—No le digas eso, imbécil.

—Salgo del trabajo en un momento, ¿nos veremos?

—Claro, preciosa; llámame cuando estés lista y te paso recogiendo.

—Bueno, quedamos así. Un besote y todo mi amor para ti.

—Igual, amor.

—Hay que ser imbécil...

—Qué mala costumbre la tuya de interrumpirme cuando hablo por teléfono.

—¿Por qué tienes que decirle esas cosas cuando hablas con ella?

—¿Por qué no puedo decírselas..? Ella me gusta, no veo inconveniente en tratarla bien.

—Nunca ves inconveniente en ello.

—Nunca lo hay, mientras haya cariño. Ella me brinda cariño.

—Eso es ahora, pero en cuanto logre enredarte te convertirá en un pelele. Dile todas esas carantoñas y ella se dará cuenta de que te tiene en sus manos. En cualquier momento saca las garras y aprovecha esa ventaja para despedazarte.

—Bueno, ese es uno de los riesgos.

—Sí, pero es inadmisible que te involucres en riesgos como ese cuando ya deberías saber cómo trabajan las mujeres.

—Nadie está obligado a huir si se siente bien.

—Si fueras un adolescente te perdonaría que pienses así. Pero ya casi estás en los treinta...

—¿Y qué quieres? ¿Que viva como un ermitaño a causa de mis fracasos?

—No sería una mala idea. Pero como somos del tipo social, mi consejo es que nunca te involucres con mujeres.

—¿Y entonces? ¿Con hombres?

—Claro que no, no seas tan básico. Pero vívelas, disfrútalas, hazles el amor y trata de que, de vez en cuando, alguna de ellas lave tu ropa.

—No soy tan cínico; al menos, no por ahora.

—Pero lo serás, y si puedes acelerar el proceso mejor. Después de que superes esa etapa de enamorado perdido vivirás muchísimo más tranquilo. Fíjate: en este momento de tu vida te preocupa disiparte demasiado, tomarte unos tragos un lunes por la noche.

—No soy un alcohólico.

—Tampoco yo porque beba más que tú.

—¿Y qué, debería pasar la vida de bar en bar?

—No, el punto es que te preocupa disiparte. Llegará un momento de tu vida en que estarás tan saturado de problemas que tendrás la necesidad de disiparte. Para cuando eso llegue, no debe existir ninguna mujer en tu camino, pues ellas suelen ser un lastre para la vida de un hombre libre.

—Vaya filosofía. Lo cierto es que estoy enamorado y no voy a dejar de estarlo por tu amargura.

—No es amargura, es capacidad de análisis, escogencia de libertad.

—Bueno, yo soy libre. Sostengo una relación con ella pero soy libre.

—No. Ninguna relación se lleva bien con la libertad. Las mujeres son seres humanos; ergo, son seres malignos. Si te involucras eres capaz de quemar el cielo por ellas, y te pagan mandándote a la picota con tu libertad inutilizada sobre los hombros.

—Al menos ella no es así.

—¿Que no? Fíjate, pudieras quedarte a tomar otro par de tragos y conversaríamos sobre tu futuro; yo podría darte algunas buenas claves para saltar los obstáculos que se te avecinan. Sin embargo, no puedes porque debes buscarla y llevarla a su casa.

—¿Y qué crees, que debo preferir estar contigo que con ella?

—Creo que debes tener libertad plena para escoger lo que realmente te conviene. ¿Recuerdas cuando estabas con la periodista?

—¿Qué tiene que ver ella con todo esto?

—Tuviste que dejar el gimnasio pues el horario coincidía con el de ella y no te daba tiempo de ir a buscarla al diario.

—Recuerda que tuve también problemas con el administrador del gimnasio.

—Sí, porque el dinero no te alcanzaba para pagar a tiempo ya que debías costear parte de su tratamiento ortodóncico.

—Bueno, le daba dinero porque me gustaba dárselo.

—¿Y la enfermera? Te peleaste con tu madre por su culpa.

—Mi madre la trató muy mal porque había oído unos rumores malintencionados.

—Ni tan malintencionados, porque la enfermera te dejó por un policía después de que todo el mundo los había visto entrar y salir de cada uno de los hoteles del centro.

—Nunca tuve evidencias concretas de eso.

—¿Y la muchacha aquella que estudiaba artes escénicas?

—¿Qué hay con ella?

—Te hacía ir a los ensayos aquellos tan aburridos, una obra del teatro griego clásico, o algo así...

—Iba por gusto, sabes que siempre me ha gustado el teatro.

—Sí, pero te habría resultado mejor asistir a la temporada completa ese año, en la que participaron compañías profesionales. Además, al terminar los ensayos tenías que esperar en el vestíbulo comiendo frituras hasta que ella aparecía.

—Tenía que llevarla a casa.

—¿Y cuántas veces tuviste que llevar al actorcito ese con el que se acostaba en el camerino, mientras tú comías papas fritas y veías a los transeúntes, muerto de hastío?

—Habladurías, ellos eran muy amigos y la gente comentaba cosas.

—¿Y la abogada? Te ponía a transcribir sus documentos en tu computadora y te hostigaba cuando te retrasabas. De hecho, te dejó porque perdió un caso importante y le echó la culpa a unos supuestos errores tuyos de transcripción.

—No es correcto, sabes que me dejó porque no le dedicaba el suficiente tiempo.

—¿Todavía estás convencido de eso?

—Es que fue así.

—Ya dejarás de estarlo. ¿Y la modelo, la morenita aquella que viste una vez bajar las escaleras de un centro comercial tomada de la mano de un alemán? ¿Y la veterinaria, que te llamaba al trabajo para decirte que se le había acabado el gas? ¿Y la secretaria, que te pedía dinero para jugar a la lotería y nunca te pagó?

—¿Cuál es el punto?

—Libertad.

—De acuerdo: permite que viva, en plena libertad, mis experiencias. Sé que tienes diez años más que yo y que eso en cierta forma te autoriza a criticarme, pero quiero aprender por mi cuenta cómo diablos se vive.

—Bien, en todo caso sabes que, pese a lo malagradecido que eres, siempre estoy a tus órdenes para darte consejos.

—Vaya honor. Voy al baño y regreso.

—¿Aló?

—¿Sí?

—¿Eres tú, amor?

—Sí, el mismo.

—Se te escucha la voz rara.

—No sé por qué.

—¿De verdad eres tú?

—Sí, por supuesto; sólo que con diez años más encima.

—¿Cómo?

—Olvídalo.

—¿Me vas a venir a buscar?

—De ninguna manera.

—¿Cómo?

—Vete a pie, súbete en un autobús, paga un taxi; no sé, pero yo no me muevo de aquí.

—¡Pero, amor..!

—Amor nada. No estoy dispuesto a alargar más la espera de la ruptura.

—¿Ruptura? ¡Amor..!

—No pretendo darte tiempo a que me conviertas en un pelele, a que te des cuenta de que me tienes en tus manos y saques las garras y aproveches esa ventaja para despedazarme.

—Pero, ¿de qué diablos hablas..?

—Tú lo sabes. De libertad. De llegar a los cuarenta en pleno uso de mis facultades. Bye.

—¿Llamó ella?

—No ha llamado nadie.

—Bien, me voy. Yo pago.

—Es lo menos que puedes hacer.

—¿Cómo?

—Olvídalo.

CÓMPLICES

Eran ya las dos de la madrugada cuando Irene invitó a Orlando a entrar a la biblioteca. "Sólo prométeme que serás discreto", le dijo. Él, por supuesto, asintió, ansioso como un perro; la mirada de Irene dio vueltas por todo el salón y, cuando consideró que era prudente, le indicó que se adelantara por el pasillo.

Se habían conocido dos meses atrás, en otra fiesta. Un matrimonio. Orlando, ex compañero de estudios del novio, estaba borracho y se había sentado sobre una mesa vacía al fondo del patio. Había llegado al estado en que se analizan las grandes verdades cuando vio a Irene asomarse, observar fugazmente a los presentes y regresar al interior de la casa. Desde entonces había quedado prendado.

Varios días después, durante la cena anual de caridad del centro, se procuró la manera de conocerla apelando a sus contactos. Quiso lucir ante ella su cargo en el banco y su amplia experiencia deportiva, pero la verdad es que Irene no se mostró demasiado impresionada.

Se dedicó entonces a acosarla de todas las maneras posibles. Simuló encuentros casuales a la salida del trabajo de Irene; averiguó la fecha de su cumpleaños y le envió un frondoso ramo; telefoneó varias veces para enfrentarse a la constante negativa a su invitación a salir. Pero Orlando no se rendía: estaba resuelto a conquistarla.

Así que la noche de la fiesta en casa de las primas de Irene, Orlando era ya un persecutor implacable. Casi no pudo creerlo cuando Irene accedió al fin a sus requiebros y le convidó a un encuentro furtivo en la biblioteca, que a esas horas de la madrugada sería un ámbito solitario. Tendrían que ser movimientos rápidos —una biblioteca extraña, una casa extraña— pero fulminantes; tenía que dejar a Irene deseosa de un nuevo encuentro.

Como tigre enjaulado en aquel desierto de anaqueles, Orlando no pudo mantenerse quieto durante los minutos de la espera. No tenía mayor interés en los libros, así que cuando Irene apareció él estaba mirándolos más por inercia que por cualquier otra cosa. La figura de Irene se mostraba imponente bajo el dintel de la puerta; a Orlando se le quedaron atragantadas algunas frases hechas que había guardado para la ocasión.

Irene caminó con firmeza hacia él, dejó su bolso sobre el escritorio y, a un paso de distancia, le extendió los brazos. Él, presa del desespero, supuso que Irene iba a abrazarle, y se sintió ridículo cuando ella juntó sus manos y empezó a arreglarle la corbata. "Un hombre elegante debe siempre cuidar estos detalles", le dijo ella con una sonrisa de complicidad que serenó los nervios de Orlando.

Irene jugó con tres o cuatro frases más y al fin se acercó a Orlando en actitud de entrega, apoyando todo su cuerpo sobre él, en lúdico abrazo. Orlando sintió aquellas formas magníficas sobre sí y no pudo menos que imaginar desnuda esa perfección que se le estaba ofreciendo; no pudo ocultar su turbación cuando su lujuria se solidificó e Irene pretendió ignorar el hecho. Ella acercó sus labios a los de Orlando pero, a la manera del gato con el ratón, los alejó cuando él se dispuso al beso.

El juego continuó por un par de minutos. "No estés ansioso", dijo ella al fin y se separó del cuerpo de Orlando, todavía confuso. Ella caminó hacia uno de los anaqueles, miró con atención los lomos de los libros y tomó uno. "¿Conoces este autor?", le preguntó. Orlando no era un hombre culto, no tenía manera de conocer ese ni casi ningún otro autor. Ella evitó mostrarse decepcionada.

"Lee esto", dijo Irene abriendo el libro cerca de la mitad. Orlando —confusión mediante— vio en letras grandes la palabra "Cómplices" encabezando la página. "Léelo en voz alta", insistió Irene. Orlando empezó a recitar con dificultad: "Eran ya las dos de la madrugada cuando Irene invitó a Orlando a entrar a la biblioteca". No pudo comprender; supuso que todo era un juego inventado por ella. La miró; Irene sonreía y le instaba a seguir leyendo.

El terror se adueñó de Orlando cuando volvió los ojos al libro. La línea que acababa de leer se había vuelto ininteligible y sus manos parecían haber sido rociadas con un puñado de letras. Buscó de nuevo la mirada de Irene esperando entender, pero apenas soltó el libro y cayó de rodillas. Sus pies habían sido consumidos por un hervidero de letras que bailaban una danza ritual sobre ellos. Cuando quiso extender sus brazos hacia Irene, clamando ayuda, pudo ver que ya no tenía manos y que en su lugar tenía oraciones enteras masticándolo con afán. Sus ojos todavía podían verla y su garganta todavía pudo exclamar el nombre de Irene antes de desaparecer por completo.

Irene limpió el alboroto devolviendo las letras al libro. Lo escondió en su bolso, abrió la puerta de la biblioteca y salió sin ser vista. No le fue difícil mezclarse entre la multitud.

Horas después, ya en su casa, Irene abrió el libro, aunque no en la misma página, sino en una de las páginas del principio, en la biografía del autor. Yo estaba fumando y ya sabía, por supuesto, lo que había ocurrido. El rostro de Irene, que escribí perfecto para ella, me dirigía desde el libro una impecable sonrisa de complicidad.

FLORIDA

a María

Has estado atenta toda la mañana al fax, inventando excusas pueriles para levantarte y acercarte hasta el aparato, inventando conversaciones de pie junto al aparato, acariciando con fingida despreocupación su negra bocina, mirando de reojo la pantalla de cristal líquido, alargando sin razón los minutos, alargando la transcripción para evitar distraer la atención sobre el fax, mirándolo nerviosa a cada nueva llamada, descubriendo tu mirada nerviosa que tiene nervioso al licenciado, mirando con ansias los mensajes que entran y que entregas arrugándolos de desgano al licenciado, arrugando el liso papel con desánimo, desanimada a cada nueva factura o memo o planilla o requisición que entra, desanimada cuando compruebas una vez más que el fax no trae nada para ti, que el fax se calla para ti, que no llega aún el tibio mensaje con letritas de molde, que no llega aún tu poema diario, que no ha escrito aún tu hombre, porque aunque hace unos meses desdeñabas la poesía como expresión de tipos cursis y quizás hasta amanerados ahora que tienes tu propio poeta le llamas así, tu hombre, y te pones nerviosa cuando el fax no vomita el tibio mensaje con letritas de molde, siempre las mismas letritas, el palo algo inclinado en la t, la o más bien delgada y como con la frente caída, la m confusa con sus picos que no pocas veces son tres en lugar de dos, la bolita minúscula suspendida sobre esa coma larga que resulta ser la i, y te imaginas al hombre nervioso, mirando de reojo el reloj con esa mirada nerviosa que quizás tenga nervioso a su jefe, mirando el reloj y esperando que pasen las nueve de la mañana porque de seguro es seguro que tú a esas horas no tendrás ocupado el fax y estarás atenta, y tú mientras miras el fax te dices que de seguro ese hombre también se pone nervioso y piensas eso pero después piensas que no, que las cosas que dice ese hombre en sus poemas no pueden haber sido escritas por un hombrecillo nervioso, aunque nerviosos nos ponemos todos en ciertas circunstancias si al caso vamos, lo imaginas entrando nervioso a la oficina con su poema entre las facturas y los memos y las planillas y las requisiciones, lo imaginas despistando nervioso al jefe con un largo informe que de seguro habrá preparado con extremo cuidado la noche anterior para despistar al jefe, para poder usar el fax sin ser visto, sin que sea visto el mensaje que está enviando, el poema que te envía todos los días entre las nueve y las diez de la mañana desde hace dos semanas y dos días, doce poemas uno detrás de otro con fecha y hora de creación como si se tratara de un largo informe para despistar al jefe, como si hubiera que justificar la lenta y rápida evolución del cortejo, como si hubiera un auténtico cortejo, porque después de dos semanas y dos días de poemas no se sabe si es un cortejo o un juego o qué, no se sabe si lo que viene es la aparición repentina del hombre, no se sabe siquiera qué viene, no se sabe si viene algo, porque desde que empezó a enviarte los poemas no ha ocurrido nada en verdad, no se ha presentado, los poemas no están firmados, sólo aparecen y ya, y ni siquiera te atreves a llamar al número de la cabecera que indica la probable procedencia de los poemas y enfrentarte a una voz que quizás será la del hombre o quizás la de un hombrecillo nervioso pero quizás la de otra secretaria o quizás la de un licenciado adusto, molesto, indignado porque te quedas callada al otro lado del auricular, nerviosa y callada y no debí llamar, y te limitas a recibir los poemas que te describen o te piensan sonriendo, riendo, durmiendo, amando, vestida de uniforme y vestida de noche, desnuda, jadeante, estupefacta ante el amor, traviesa sin tristeza, y piensas por las noches qué desperdicio de tiempo, qué ganas de torturarte, qué tontería pasar los días enviando poemas en lugar de presentarse para tener algo que hacer en las noches, qué tontería no hacer uso de la gran ventaja que le ha dado haberte creado expectativa, tanteando con demasiada confianza tu paciencia sin saber siquiera si te complace recibir los poemas, si han resultado ser un arma efectiva, y tú de este lado sabiendo que lo son, y tú de este lado esperando cada día al lado del fax mirándolo con tu mirada nerviosa que ya tiene nervioso a tu jefe el licenciado, y el licenciado que cata tus nervios y te pide café, señorita hágame el favor un cafecito para mí y otro para el señor, y tú entras a la oficina del licenciado y ves al señor y lo catas pensando cada vez quizás él, quizás sea este mi poeta de entre las nueve y las diez de la mañana, mi hombrecillo nervioso con sus informes y sus hurtadillas, pero no, siempre pasa que es demasiado viejo o demasiado formal o demasiado alto o demasiado imbécil, no, este no puede ser, y te imaginas a tu poeta como un tipo ni muy viejo ni muy formal ni muy alto y por supuesto no es un imbécil porque esos poemas, un tipo poético como quien dice, sirves café y llenas planillas y haces llamadas pero estás siempre atenta al fax, y mientras el fax se calla no haces otra cosa que mirarlo de reojo, hasta que por fin llega el mensaje, brota del fax el mensaje, brotan las letritas de molde y la m confusa y la i que es una coma y tu hombre nervioso diciéndote cosas que nadie te ha dicho, cosas que nunca sospechaste que un hombre le diría a una mujer en la vida real, cosas que te hacen hervir y esta vez ves que al fin algo más, unas líneas en prosa que te invitan y te asustas y te pones nerviosa, mañana no habrá poema porque quiero verla, y piensas que en veintiséis horas y media verás si es un hombrecillo nervioso, si es muy alto o muy formal o no mucho pero al menos más de lo que te imaginabas, se te cae el vasito con té que tomas siempre con el poema para calmar los nervios, te salpicas los pies con la infusión caliente, sientes tus ojos hervir dentro de sus órbitas y mañana no habrá poema, ardo en deseos de conocerla, búsqueme mañana al mediodía en la plazoleta interior del edificio, yo estaré sentado allí en uno de los bancos, iré de traje formal, con una flor en el ojal y usted vaya con la flor de su nombre, y piensas que ya se descubre que es un hombre muy formal o no mucho pero al menos más de lo que te imaginabas porque irá de traje formal, y la flor en el ojal será una señal, y la flor de tu nombre es la rosa porque a tu madre le pareció bonito que te llamaras Rosángela, o quizás fue tu tía la de la idea porque esa se mete en todo, y piensas que esta tarde, o mejor al mediodía, o mejor mañana al mediodía para que no se marchite irás y comprarás una rosa en la floristería, en cuál floristería, te das cuenta entonces de que nunca has advertido más comercios que la tienda donde compras la copia económica de Givenchi y el quiosco donde compras el periódico que después no lees pero que el licenciado agradece, y entonces decides que hoy al mediodía saldrás a buscar una floristería, para asegurarte de que no pase nada que te retrase irás a mediodía y averiguarás dónde comprar la rosa, pero no la comprarás porque mejor esta tarde, le pedirás al licenciado unos minutos de permiso e irás esta tarde a comprar la rosa, la dejarás en la oficina en un vaso con agua para que no se marchite, mañana a mediodía no se habrá marchitado y podrás ir directo a la plazoleta y conocerás al fin al hombre y verás si es alto, aunque sea feo le buscarás detalles agradables porque un hombre que escribe poemas como esos no es de dejar pasar así como así, aunque sea feo o tenga mal aliento o sea un gordo con los pequeños trechos abiertos entre los botones de la camisa, aunque tenga caspa y tenga los zapatos sucios pensarás que algo debe tener, querrás tenerlo aunque sea como admirador no correspondido para que siga escribiéndote poemas, aunque sea sólo para que las muchachas de la oficina y las del gimnasio y las de la cuadra y hasta tus primas deliren de la envidia, pero chica este hombre debe ser muy apasionado, y todo muy bien pero ahora quieres un vaso de agua, de pronto este calor y este sofoco, mañana al mediodía, todo muy bien pero qué pensará de mí, cómo pensará que voy a reaccionar cuando estemos frente a frente, cara a cara, él y tú en la plazoleta interior del edificio y el licenciado almorzando con un señor muy viejo o muy formal o muy alto o muy imbécil mientras tú conoces la vida, vives tu capítulo de telenovela, y el agua que tomas todo el día no te refresca porque la garganta es una sola brasa de desespero, y te desesperas todo el día y en la noche te bañas desesperada, derrites el jabón con la mirada y el agua se evapora en tus brasas, y pasas la noche evaporándote y casi no duermes, y el calor te agobia y estás desesperada y cuando te levantas en la mañana quieres salir corriendo, no lo haces porque ajarías el uniforme que estás planchando minuciosamente, preparándolo para el encuentro del mediodía, y te abrochas un botón menos que de costumbre por el calor y por ser coqueta y atrevida, y te vas a la oficina pensando en la rosa y en una melodía y en una nube chiquita y en el mediodía, y tu cerebro tararea una canción de amor y el licenciado galantea, señorita hoy está rozagante, hágame el favor y me trae un cafecito para mí y otro para el señor pero le juro que está rozagante, y te sonrojas pero no te sonrojas por la galantería vacía del licenciado sino porque estás hirviendo, sirves el café hirviendo y te vas al baño, con papel higiénico te refrescas un poco las mejillas hirviendo, ensayas frente al espejo tu mejor postura al caminar y pones tus manos cerca del pecho como si sostuvieran la rosa, el dedo índice un poco alzado acariciando los pétalos de la rosa, intentas una sonrisa pero no te sale porque estás hirviendo y vuelves a refrescarte las mejillas, te tocas la garganta con suavidad y te acaricias y sumerges los dedos bajo la blusa hasta que alcanzas esa pequeña prominencia hirviente, erguida como el minutero del reloj que no avanza como quisieras hasta el mediodía, alargas los minutos para alcanzar el mediodía, alargas la transcripción para evitar distraer la atención sobre el reloj y tus dos minuteros pequeños y erguidos siguen hirviendo y se te dificulta la respiración y no coordinas el habla y sigues mirando el reloj, y el licenciado no sospecha nada y señorita llámeme al doctor, señorita para cuándo ese memo, señorita bájele un poco al aire acondicionado y al licenciado se le olvida que estás rozagante, no sospecha por qué estás rozagante, ya ha olvidado la última vez que disfrutó a una mujer rozagante, acaricias la rosa y lees los poemas, que ocultas en una gaveta debajo de las facturas y los memos y las planillas y las requisiciones, son las diez y veintitrés y sientes la sangre hirviendo transitando agolpadamente a través de las venas que surcan tus sienes, sientes que eres toda tú una arteria hirviente, miras hacia los lados y sin que nadie lo advierta oprimes las manos contra tus muslos, que hierven bajo la falda, te levantas y tomas agua y tomas té y tomas algo de aire frente a la ventana y no te atreves a asomarte y mirar abajo por temor a ver a un hombre de traje formal, con una flor en el ojal y quizás algo nervioso, quizás un hombrecillo nervioso de traje formal que te espera, que te desespera con sus letritas de molde, y no aguantas y son las once y cincuentinueve y hasta luego licenciado, pero qué hora es señorita vaya cómo se ha ido la mañana, no le parece, y a ti no te parece porque la mañana ha sido un calvario, una alfombra de brasas que te ha dejado hirviendo, y tratas de no parecer desesperada cuando entras al ascensor y le dices planta al muchacho, y te tambaleas un poco cuando llegas a planta y sales del ascensor y te das cuenta de que has olvidado la rosa, que con tanto calor has dejado la rosa y te devuelves y el muchacho se sonríe benévolo cuando le dices pisodocesiestanamable, y subes y tomas la rosa y el licenciado encerrado habla por teléfono y no te ve entrar, y bajas corriendo las escaleras y alcanzas el ascensor en el piso diez, el muchacho vuelve a sonreír y es él entonces quien te dice planta y tú le sonríes y asientes condescendiente pero sonrojada, hirviente, y temes por un momento que el pequeño retraso te cueste el encuentro y sufres, sufres un poquito pero sufres porque ya es mediodía y estás hirviendo y temes que esa tardanza, llegas a planta y sales del ascensor como una tromba, perdón señor un permisito mi amor que estoy apurada, y sonríes nerviosa y buscas a tu hombrecillo nervioso, y no ves a ningún hombre de traje formal sentado en un banco de la plazoleta, y diriges la mirada hacia los cuatro bancos y no hay nadie, y te molestas y piensas qué impuntuales son los hombres y yo tan hirviente, y te molesta un llanto de mujer que escuchas a unos metros y sigues buscando a tu hombrecillo nervioso y no lo hallas, y una mujer llora y te das cuenta de que es Violeta la del consultorio del piso seis y que sostiene una violeta entre sus manos, y una mujer pasa a tu lado y te empuja y casi se te cae la rosa y entonces te das cuenta de que es Jazmín la del escritorio jurídico del piso catorce que sostiene un jazmín entre sus manos, y tú sostienes una rosa entre tus manos y ves entonces que en la plazoleta hay mujeres con rosas y mujeres con violetas y mujeres con jazmines y mujeres con lilas y mujeres con gardenias, ya has comprendido pero cierras los ojos y vuelves a abrirlos como si dudaras, y cuando los abres ves flores regadas por toda la plazoleta y mujeres chamuscadas de tanto hervir, y poemas regados por el suelo con letritas de molde, con los picos de la m y la frente gacha de la o regadas por el suelo, y te sonrojas pero ya no estás hirviendo, y tiras la rosa al piso y te vas al restaurante vegetariano y pides cualquier cosa, como todos los días.

EL ÚLTIMO TRAGO

Los Picadores estaba repleto y la gente tenía que tomar en la calle, acomodándose en la acera o sobre los vehículos. Entré a buscar dos cervezas y al regresar desperté a Mik, que prefirió tomarse la suya dentro del carro. Un sueño breve y accidentado le había permitido recuperarse un poco y me contó triunfante algo sobre una Magaly que le había dado su teléfono.

En ese momento escuché una voz femenina que me llamaba. Era Mily, una contadora que había estudiado conmigo en el bachillerato. Una morena rotunda de pechos floridos y de unos maravillosos ciento setenta centímetros de estatura. Siempre me han gustado más las mujeres altas que las bajas. Suelen verse más elegantes y, cuando logro llevar a una de ellas a la cama, siento que he dominado una bestia mitológica.

Ya estaba algo ebrio y empezaba a esforzarme por mantener el equilibrio y la dicción. Uno en circunstancias normales, es decir, sobrio, no piensa en cosas tan naturales y personales como el equilibrio y la dicción. Tampoco es que me inquietara demasiado, pues de inmediato noté que Mily pasaba por el mismo trance.

Cuando llegó hasta donde yo estaba, me dio un abrazo apresurado que interpreté como su jugada para no caer de rodillas al suelo.

Se la presenté a Mik, pero él la miró de arriba abajo y dijo algo incomprensible mientras se bajaba del carro no sin dificultad. Mily estaba con una compañera del trabajo en una salida doble con dos hermanos, que resultaron ser, para sorpresa y diversión del grupo, mis primos Teo y Leo. Andaban en el carro de Teo, el mayor. Entre tanto, a través de los litros de ebriedad que ya llevaba consigo, Mily pudo precisar que tenía dos años divorciada y como una semana viéndose con Teo. Mik, por su parte, se resistía a seguir el hilo de las conversaciones más allá de su aparatoso lenguaje de gruñidos.

La siguiente ronda de cervezas la buscamos Mily y yo. Al abrigo de su ebriedad le pasé el brazo por la cintura y ella respondió, divertida, de la misma manera. Pronto el gentío nos obligó a separarnos pero, cuando llegamos a la barra, me las apañé para acariciar un espacio tibio de piel entre su falda y su blusa. No dijo nada, pero le dije que olía divino y ella respondió con una mirada inequívoca.

Cuando llegamos Teo intentó recuperar el control abrazándola y mimándola, y ella se dejó hacer fingiendo sin mucho énfasis, mirándome maliciosa mientras lo besaba. Siempre he creído que, si ya es de dudoso gusto besarse en público, cerrar los ojos al hacerlo es una costumbre al menos imprudente. Así que después de tomarme la cerveza fui con Mik a buscar dos más, ya con la intención de marcharnos. Cuando nos despedíamos, Mily me dijo al oído que la llamara.

La cita, el viernes siguiente, fue al principio incómoda. La comida nos cayó algo pesada, no dábamos con un tema sólido de conversación, el baile rozó niveles de desastre y mis primeros avances fueron, aunque con elegancia, repelidos al instante. Pero conforme transcurrieron la noche y la ingesta de licor, ella dejó a un lado sus inhibiciones y poco a poco fue entregándose al juego de los besos y las caricias. Nuestro último baile fue interrumpido por uno de los vigilantes del local: en plena pista, Mily había bajado su mano hasta mi entrepierna.

Sabía que vivía sola en un apartamento del centro de la ciudad, así que antes de arrancar le pregunté a dónde quería ir. Esperaba que me permitiera elegir, pero fue tajante: quería seguir bebiendo. Aduje en vano que habíamos tomado suficiente y que deseaba más que nada acostarme con ella. Con los labios torcidos me dijo que ella también lo deseaba, sólo que más tarde. Ya eran las dos de la mañana y me preocupaba que el sueño y el licor la vencieran.

La llevé a La Cabaña, un sitio al borde de la carretera cuyo principal atractivo era que uno podía instalarse en pequeñas y rudimentarias chozas desde las que se llamaba a los meseros usando un timbre. Era como estar en un motel con habitaciones al aire libre.

Allí se desató la locura de Mily. Avanzaba y retrocedía caprichosamente como si la ebriedad la atacara a oleadas. Si me dejaba meter las manos bajo su ropa, al instante siguiente hacía un débil aspaviento con la excusa de que alguien podría sorprendernos; luego, mientras me besaba risueña y gozosa, me palpaba para comprobar si estaba firme y me decía cosas soeces en su media lengua de hembra ebria.

En algún momento le dije que iba al baño y que de regreso pagaría la cuenta para irnos. Lo que quería en realidad era probar mis reflejos, pues ya llevábamos varias horas tomando. Me costaba mantener el equilibrio, pero estaba seguro de que, como siempre, funcionaría la potencia extra que bulle en cada primer encuentro. Me preguntaba, sin embargo, en qué condiciones estaría ella.

Fue desagradable volver a la choza y encontrarla roncando sobre la mesa con la cabeza apoyada en su cartera, quizás para que no la robaran. Eso me desanimó un poco. Miré mi reloj: eran casi las cinco. Llamé al mesero y le pedí la cuenta. Después de pagar intenté despertarla, sin éxito. Ignoro si estaba profundamente dormida o si mi propia ebriedad hacía que mis esfuerzos fueran nulos. Resolví el problema mordiéndole el lóbulo de la oreja.

Bastó que subiéramos al carro para que la Mily impetuosa y apasionada regresara de entre las sombras del alcohol. Mientras trataba de conducir, ella insistía en bajarme el cierre, pero argumenté que era absurdo si ya estábamos cerca de su apartamento y podíamos disfrutar allí de absoluta privacidad. La verdad es que estaba preocupado por la fuerza de sus mandíbulas si llegaba a caer en un bache.

En el ascensor me besó con furia y se frotó contra mí pidiéndome, en susurros apenas inteligibles, que le propinara el primer orgasmo allí mismo. Cuando, después de un breve forcejeo con la cerradura, entramos al apartamento, me arrastró a la cama y empezó a desabrochar mi pantalón.

Ya me relamía de gusto anticipando lo que venía cuando de pronto se detuvo y se quedó mirándome. Entonces me preguntó si me había caído mal la comida. Era una pregunta fuera de lugar, pues al principio de la noche nos habíamos quejado de eso e incluso fuimos incapaces de terminar la cena. Acto seguido se paró de golpe y como pudo corrió en dirección al baño, pero su organismo fue más rápido y vomitó en el pasillo antes de llegar. Con una mano apoyaba de la pared su cuerpo arqueado mientras tosía. Me levanté con la legítima intención de socorrerla, pero cuando estuve junto a ella el olor y la impresión me dominaron y vomité sobre su vómito.

Se quedó mirándome con una expresión a medio camino entre la vergüenza y la risa. Es normal, le dije para consolarla. La convencí de quitarnos la ropa hedionda y darnos un baño para mitigar los efectos del vómito y el licor. De regreso al cuarto nos secamos sin dedicación, tambaleantes y turbios. Mily se desplomó en la cama y yo limpié el desastre del pasillo tan bien como pude. Ya empezaba a amanecer y las primeras luces del día entraban indiscretas por la ventana cuando volví al cuarto y me acosté a su lado. Ella dijo algo sobre unos gallos, se levantó para cerrar las cortinas y regresó para rodear mi cuerpo con sus piernas y darme mordisquitos en el cuello. El contacto con su piel cálida avivó mi deseo, que hasta ese momento creía derrotado.

El cuerpo de Mily ardía por dentro y se acomodaba perfectamente al mío. Gruñía y gemía a cada uno de mis avances, hasta que de pronto se quedó tiesa y silenciosa. Eso me intrigó un poco, pero ya nada me importaba y seguí moviéndome hasta el final. Sólo entonces me di cuenta de que se había quedado dormida, y la situación me pareció tan absurda que me reí a carcajadas.

Mis risas la despertaron y, divertida, me pidió disculpas. Pasamos un rato hablándonos muy de cerca y explorándonos con las manos, con las piernas, con el olfato que ya en ese punto había aprendido a obviar los efluvios del alcohol. Prometió que esta vez no se quedaría dormida y cuando mi cuerpo estuvo listo se subió sobre mí. Lanzó un resoplido de placer y empezó a moverse. Me hizo gracia la forma como parecía imitar los gestos de las actrices de las películas pornográficas, apuñando los labios y girando la cabeza a ambos lados. Arribó sonriente y feliz al orgasmo, emitiendo unos gemidos cortos y rápidos que simulaban una extraña forma de llanto. Se acostó sobre mí y empezó a besarme y a decir cosas inconexas al compás de sus propios espasmos.

Era casi la una de la tarde cuando despertamos. La resaca era terrible. Por fortuna Mily recordaba todo con detalle, pues resulta harto bochornoso tener que explicarle a una mujer cómo fue el sexo que tuvo cuando estaba ebria. Mientras me hablaba de su trabajo hizo una comida de emergencia.

Viéndola moverse de un lado a otro sentí que lentas y placenteras se desarrollaban de nuevo mis ganas. La tomé entre mis brazos y la besé, pero ella se escurrió para servir la mesa. Pensé que debía sentirse incómoda de tenerme allí esperando mi plato como un marido, y entendí que era mejor replegarme. Con todo, durante la comida elogió mis acciones de cama e hizo uno o dos gestos de simpática lujuria, aunque fue muy clara en cuanto a que tenía cosas que hacer y necesitaba que me fuera. No hubo males mayores y acordamos volver a salir unos días después.

El martes la llamé para invitarla a un café. Se disculpó; tenía que hacer un viaje de trabajo esa misma tarde, pero regresaría a tiempo para la cita del viernes. Me contó que su hermana la había visitado el sábado después de que yo me fuera, y la había encontrado con una bolsa de hielo en la cabeza. Dijimos algunas sandeces, reímos un rato y nos despedimos hasta el viernes. Contrario a mis planes, esperarla unos días más me perturbaba un poco. Admito que mi vanidad requería, con poca paciencia, la confirmación de que la jornada había sido, al menos, digna de repetirse.

La noche del viernes nos decidimos por la barra del Mirador. Aprovechamos de contarnos algunas cosas acerca de las cuales no habíamos tenido tiempo de hablar en nuestra primera cita. Mily tuvo un matrimonio traumático, un administrador cuarentón obsesionado con la idea de tener un hijo cuanto antes. Ella aún no terminaba la universidad y con esa excusa se las arregló para no quedar embarazada; en realidad consideraba que no estaba lista. Fue una sabia decisión, pues un hijo le habría complicado la vida.

Una noche su marido regresó un poco tarde y la despertó apremiándola para tener sexo. Ella accedió a regañadientes, pero pronto se dio cuenta de que había algo extraño en la actitud del hombre y luego descubrió que estaba drogado. Llevaba años conociéndolo y hasta entonces se enteraba de que él se drogaba. De hecho, él le confesó que usaba drogas para incrementar su potencia sexual porque tenía el complejo de que la edad le estaba minando facultades.

La relación terminó en desastre. La depresión y otras circunstancias, entre las cuales hubo una puntual dosis de violencia doméstica, casi convierten a Mily en alcohólica. Ya expuesto en sus hábitos, el marido empezó a abusar de las drogas. Una noche hizo que Mily bebiera más de la cuenta bajo el argumento de que así se pondría a tono, y luego la golpeó porque ella no quiso hacer ciertas cosas con juguetes que él le suministró. Cuando perdió el octavo semestre, Mily regresó a la casa de su madre e inició el proceso de divorcio.

Tenía el rostro adusto mientras me contaba esa parte de su vida. Decidida a reconstruirse, volvió a la universidad y concluyó su carrera. Tuvo algunas parejas ocasionales después de aquello, pero rechazaba la idea de una relación estable, formal. Se sentía estafada, aseguraba haber dado lo mejor de sí para recibir como recompensa severos daños a su dignidad, y no estaba dispuesta a pasar por ello nunca más. De pronto suspiró, sacó un espejo de la cartera y se arregló el cabello. Dándome un beso me invitó sonriente a bailar, tratando de desvanecer la gravedad del momento.

No recuerdo qué hora era cuando llegamos a su apartamento. Estábamos ebrios y eufóricos y una y otra vez nos recordábamos en tono festivo que al día siguiente no había que trabajar. Estaba muy excitada, reía a carcajadas y hablaba en un galimatías obsceno. Se echó vestida ahí mismo, en el suelo frío de la sala, levantándose la falda y abriendo las piernas. Fue un buen sexo sin mayores contratiempos a pesar de nuestra ebriedad. A las seis de la mañana una gélida llovizna nos sorprendió en el balcón, desnudos y abrazados de intrincada manera.

Aún ebrios nos tambaleamos hasta la cama, temblando de frío. Después de arroparnos nos dimos unos besos y volvimos a dormirnos. Cerca del mediodía desperté de nuevo. Sé que es un lugar común decir que Mily descansaba con una cautivadora expresión infantil en el rostro, pero así era. Hice un poco de café y regresé a la habitación.

Muerta de risas me pedía que no la mirara, escondiéndose entre las almohadas, cuando despertó al fin con el sol del mediodía lastimando las paredes. Vaya que quería mirarla. Los hombres solemos bromear con la desagradable experiencia que es ver el rostro de una mujer en la mañana, después de una noche de juerga. Yo opino lo contrario. Los párpados caídos, los gestos acentuados por la piel hinchada, el cabello enmarañado, incluso el olor del aliento contenido durante horas en la boca, me dan una visión inédita de esas mujeres que de noche lucen fastuosas, altisonantes.

Estuvimos jugando un rato bajo las sábanas. No había ido al baño y no quería que la besara. La saqué de la cama empujándola y haciéndole cosquillas; una vez dentro del baño me pidió que saliera y cerrara la puerta. Le busqué una taza de café y, al regresar, escuché que orinaba profusamente. Sonreí.

Me acosté a esperarla y volví a dormirme. Ella me despertó con besos alegres; estaba mojada y tenía la piel muy fría. Bebió su café y se acurrucó a mi lado. Tras unos breves jugueteos me subí sobre ella, aunque al principio me costó un poco penetrarla pues no estaba bien lubricada. Fue un sexo arduo e irrelevante.

Me sentía perezoso y cansado y cedí de nuevo al sueño. Desperté pasadas las tres; ella estaba vestida y se peinaba frente al espejo. Me dijo que necesitaba salir y me di a la carrera un baño reparador, luego del cual nos sentamos a comer otro almuerzo de emergencia. Me habló del trabajo, de su madre, de una película que había visto en el cable. Apenas hubo tiempo para una despedida apresurada e incómoda.

Esa misma noche la llamé. Me pareció que quizás vendría bien un cambio de tónica y le propuse que almorzáramos al día siguiente. Al principio trató de interponer algún compromiso, pero luego accedió. Era obvio que no quería sentar las bases para una relación, y yo estaba de acuerdo en eso, pero me atraía la idea de verla de día. Le dije que dos amigos sin inhibiciones ante la recíproca atracción física podían permitirse de vez en cuando un almuerzo. Ella respondió que, con argumentos así, cómo negarse.

El domingo fue un día lluvioso. Eso estropeó mis planes de llevarla a La Cabaña, donde aparte del insuficiente techo de las chozas uno se hallaba al aire libre. Fuimos a Los Picadores. Allí me sorprendió obsequiándome un lapicero plateado con mis iniciales grabadas, y casi me hizo sentir mal no haber pensado en un detalle similar. Lo había comprado durante su viaje con la intención de dármelo el viernes, pero entre los tragos y todo lo demás se le olvidó en su cartera. Antes de que pudiera decirle algo pareció leer mi mente y con mirada pícara me pidió que lo interpretara como el obsequio de una amiga que, sin inhibiciones, se sentía atraída por mí.

No estaba seguro de que Mily quisiera que subiera con ella a su apartamento. Ya sabía que valoraba mucho su privacidad y quizás habría tenido que preguntarle antes. De cualquier manera tampoco me parecía muy sensato preguntarle, así que cuando llegamos a la puerta entré con ella con pretendida naturalidad. Me miró no sin sorpresa, yo me hice el desentendido y no pasó de allí. Minutos después estaba haciéndole un café en su cocina.

Encendí un cigarrillo y me recosté de la puerta del balcón a ver caer la lluvia. Mily se recostó de mí y pasé mi brazo alrededor de su cintura. Su olor y su temperatura alcanzaron mis sentidos. Me contó algo relacionado con la lluvia que le había pasado cuando era aún una niña, pero no le presté mucha atención. Escabullí mis dedos en su pantalón y le acaricié las nalgas con suavidad. Dio un respingo, me dijo que tenía la mano fría y reanudó su historia. Lancé la colilla por el balcón, la abracé y le di un profundo beso del que se zafó poco después con una sonrisa ambigua y los ojos entornados.

Jugamos un poco con nuestros labios. A veces todo el género femenino se resume en uno o dos gestos; en ese momento ella lo hacía picoteando mi rostro con una maravillosa sonrisa. El viento empujaba algunas gotas de lluvia hacia nosotros y la llevé hasta el sofá. Le desabroché el pantalón y la recorrí con una mano mientras nos besábamos. Ella se separó e intentó desabrochar el mío, pero el cierre se atascó y tuve que recostarme hacia atrás para facilitar las cosas. Con risa frugal me preguntó si llevaba un cinturón de castidad.

Su mano tibia acarició entonces la piel henchida de mi erección. Se puso a mirarla con curiosidad científica y me dijo, con el ceño fruncido, que los hombres somos animales extraños. Recorrió con las yemas las venas del tallo y me preguntó si me duele cuando se me pone duro. Me dio un beso casi imperceptible en la punta y notó divertida cómo lo hice palpitar con un movimiento de músculos. Le pasó la lengua como si fuera un helado y me dijo que estaba caliente; me disponía a decir cualquier bobada sobre la temperatura de mi cuerpo cuando abrió sus labios y lo engulló por completo.

Mantuvo un tormentoso ritmo lento y sostenido hasta el final. Fue al baño y me dejó en el sofá, resoplando de gusto. Regresó poco después con un cigarrillo, me lo pasó y, mirando mi miembro flácido unos segundos, le dio un beso inocente. Entonces me preguntó si quería oír música, se levantó de un salto y fue a hurgar entre sus discos antes de que alcanzara a responderle. Luego pasó sin detenerse y me dijo que me esperaba en la habitación.

Entré ya desnudo y ella rio preguntándome si tenía frío. Hice un ademán afirmativo con la cabeza, apagué la colilla en un cenicero que tenía en la mesa de noche y me enterré en las sábanas, a su lado. Su lengua sabía a menta. Metí una mano entre sus piernas mientras nos besábamos. Poco después me pidió que la abrazara con fuerza para sentirme sobre su pubis.

Intenté penetrarla, pero me dijo que no estaba lista y me pidió que no lo hiciera. Le propuse que se pusiera boca abajo para besarle la espalda. Le di unos mordisquitos suaves en los hombros a los que ella respondió con gemidos contenidos; su piel erizada se estremeció con los pequeños embates de mis dientes. La recorrí en franca expedición y, cuando la besé entre las nalgas abriéndome camino con las manos, aspiró largamente y dijo algo incomprensible. Sin interrumpir el juego con mi boca la volteé y me sumergí entre sus muslos; ignoro si notó que mi cabeza seguía el compás de la música. La entrepierna de Mily sabía a mandarinas. Era exquisito el contraste entre sus temblores y las tiernas caricias que me daba en el cabello.

Su boca reclamaba la mía cuando me incorporé dispuesto, ahora sí y con su anuencia, a hundirme en ella. Pero su piel estaba seca y le dolía, así que hizo un movimiento rápido para voltearnos y, estando ella arriba, poder controlar a placer las acciones. Con sucesivos frotes fue introduciéndoselo ella misma hasta el fondo, pero oprimía sus labios y temblaba por instantes cada vez que bajaba sobre mí. Cuando terminé, se acostó a mi lado y acomodó su rostro cerca de mi cuello.

Creo que dormitamos unos minutos. Volví en mí cuando sentí que Mily se levantó. Al rato apareció con una botella de whisky y dos vasos. Me sirvió el trago seco aclarando, sin que yo se lo pidiera, que había olvidado disponer la hielera. Puso la botella en la mesa de noche, se sentó en la cama y brindamos. El whisky a temperatura ambiente me arrasó la garganta. Hice gestos.

Hablamos un poco acerca de los años del bachillerato, cuando nos conocimos. Le confesé que para los muchachos ella era una flaca desgarbada y poco apetecible. Pese a eso, me dijo, fue justo la época en que perdió la virginidad. Un flaco desgarbado, como ella, que vivía cerca de su casa y que durante una fiesta del vecindario se le había declarado tartamudeando. Una tarde de agosto empezaron a ver televisión y terminaron revolcándose en la sala, más atentos a la puerta que a las sensaciones. Estuvieron de novios hasta que él fue al servicio militar y conoció la alegría mordaz de los burdeles.

Se sirvió otro trago antes de que yo terminara el mío. Le dije que rara vez tomaba el whisky seco y que prefería digerirlo con calma. Continuamos hablando hasta que la música dejó de sonar; bebió el resto de su trago y fue a cambiar el disco. Serví para ambos y, al regresar, lo agradeció con sonrisa pícara.

Unos tragos más tarde las palabras empezaron a deslizársele. Fruncía el ceño un instante y estallaba en risas mientras corregía los trastabilleos de su lengua con otros nuevos y más cómicos. Sin soltar los vasos intentamos un baile accidentado y loco que me excitó una vez más, y que luego interrumpí para ir al baño. Tuve que abrir las piernas y empujar mi erección hacia abajo hasta que cedió un poco y me dejó orinar. Mily se había escurrido en secreto hasta la puerta del baño y no pudo contener la carcajada al ver mi extraña postura. Regresamos bailando a la habitación.

Nos detuvimos al lado de la cama y ella me pasó el borde de su vaso por el tallo, ya flácido. Alargando una que otra vocal me preguntó divertida cuánto tardaba en ponerse duro. Le pellizqué un pezón y le dije que eso dependía del estímulo. Entonces me tumbó en la cama y mi vaso fue a dar al piso haciéndose añicos, a lo que ella restó importancia sirviendo otro trago.

Se acostó a mi lado y derramó un poco de whisky sobre mi pecho para lamerlo. Sus labios hervían. Bajó una mano y comprobó su eficacia como estímulo. Reptó hacia abajo, me echó otro poco en el miembro y sorbió cada gota de licor. Repitió el juego hasta que se terminó el trago; se sirvió otro, volvió a acostarse a mi lado y me dio a beber directo de su boca.

Vació el vaso y me aseguró entre dientes que me mataría si no la penetraba en ese instante. Me subí sobre ella y esta vez pude llegar hasta el fondo sin problemas en el primer empuje. Ella rodeó mi cuerpo con sus piernas y me pidió que metiera mi lengua en su boca de la misma forma aunque muriera asfixiada. Su vaso corrió la suerte del mío.

Entonces pareció hartarse y despegó sus labios. Me empujó y me puso boca arriba. Pronunció mi nombre con la voz ronca al tiempo que sus piernas me tragaron con ímpetu. Literalmente brincó sobre mí, con violencia, balbuceando cosas en su ebria lengua que no pude entender. Pronto escuché los gemiditos que anunciaban el momento cumbre de su placer. Mientras su cuerpo se crispaba mordió mi barbilla hasta que el dolor me hizo apartarla con mis manos.

Acostada sobre mi pecho, sin zafarse y aún en los últimos espasmos, me decía entre resoplidos y risas débiles que quería que siempre le hiciera así el amor. La tomé por la cintura en un intento por continuar, pero ella se incorporó y me pidió que no lo hiciera. Alcanzó la botella con el brazo y vertió whisky sobre mi rostro. Luego tomó ella otro poco, volvió la botella a su sitio y me lanzó una mirada perdida. Con voz muy baja me preguntó si quería más, al tiempo que hacía un rápido movimiento de caderas. Repitió su pregunta una y otra vez mientras, apoyando sus manos en mi pecho, empezaba de nuevo a moverse.

La atraje hacia mí para besarla y nuestros dientes chocaron. Quise ponerme sobre ella, pero se resistió divertida. Como pude me escurrí por un lado; ella lanzó un gritico y cayó boca abajo en medio de un ataque de risas que interrumpió de golpe cuando la penetré desde atrás. Entonces gimió largamente y dijo quién sabe qué cosa. Poco a poco se incorporó sosteniéndose del borde de la cama; entre resoplidos alcanzó la botella y, con notable destreza, bebió otro trago en plena acción. Tuvo dos orgasmos de los que me enteró a cabalidad con sus gemidos entrecortados. En cierto punto me derrumbé sobre su espalda y celebré mi gozosa derrota dándole pequeños besos en la nuca y las orejas.

Me eché a su lado, exhausto. Me ardían el estómago y la garganta y tenía los labios hinchados. Ella se acomodó de espaldas a mí y balbuceó algo incomprensible.

Reí porque estaba tan ebria que no podía entenderla; ella rio porque estaba tan ebria que se creía graciosa. Extendió su brazo derecho y se puso a jugar con mi miembro flácido. Se quedó dormida así. También yo.

Desperté pasadas las diez de la noche. La luz de la luna hacía brillar los restos de vidrio en el piso. Encendí un cigarrillo que fumé con desgano y luego fui a darme una ducha. Al salir del baño recogí mi ropa del sofá y me vestí en silencio antes de regresar a la habitación. Mily dormía borracha y feliz. La flaca desgarbada que fue en su adolescencia había acentuado sus rasgos hasta convertirse en esta reina bacante. No sin ternura acaricié su cuerpo y maldije las circunstancias que lo habían dañado hasta impedirle una lubricación saludable sin embriagarse. Aún dormida suspiró; podría jurar que abrió los ojos un instante. Antes de marcharme acerqué mi rostro al suyo y libé de sus labios un último trago.

He aprendido, con gran costo, que intentar ayudar a la gente no siempre resuelve sus problemas y por lo general acrecienta los míos. Muchas veces he visto personas hundiéndose en el fango y las he visto felices porque creen que se encuentran en una situación corriente. En esos casos lo más sensato es retirarse a tiempo.

Mily volvió a llamarme una semana más tarde. Respondí con vaguedad cuando me preguntó cómo estaban mis cosas, pero ella es una mujer inteligente y no requirió más precisiones.

CENA CON TAXISTAS

Nunca pude decirle que no a mi hermana. Eso me metió en más de un problema cuando éramos niños, pues a ella se le ocurrían ideas bastante extrañas, como reunir medias rojas obteniéndolas en forma furtiva de los patios del vecindario o dramatizar el incendio de la Biblioteca de Alejandría en la más bien austera biblioteca de la escuela.

Así que cuando ella decidió regresar de Europa me asaltó un sentimiento ambiguo. Por un lado, me embargó una tierna alegría que rebasaba los límites de lo simplemente fraterno, pues ella es la única sobreviviente del núcleo familiar. Mamá, papá y nuestro hermano menor murieron hace muchos años en un accidente del que mi memoria no guarda más que nubes y algunos sonidos. Pero, por el otro, empecé a sufrir desde el instante en que me llamó por teléfono, pues sé que con ella vendrían nuevas y extravagantes y embarazosas ideas.

La recibí con una gran cena, ocasión para la cual pulí los viejos candelabros que dan fe de una muy antigua bonanza familiar, ahora reducida a unas discretas rentas que recibimos ella y yo. Ella comió poco, pero fue una linda velada en la que me contó sus extraordinarias vivencias en Europa. Por mi parte sólo pude narrar mis esfuerzos por no perder mi empleo de corrector en el periódico local y alguna aventurilla aislada y desvaída, como mi viaje reciente al pueblo vecino a buscar un repuesto para la lavadora.

Luego nos sentamos frente a la ventana a fumar y a intentar reconocernos a través del manto que fueron tejiendo los años. A pesar de su edad sus pómulos siguen siendo abundosos y suaves, como cuando era niña. Sólo alrededor de sus ojos la piel empieza a sucumbir, y también en su cuello, por lo que se ha habituado a usar ropa que esconda tales desafueros de la biología. Si antaño fue una niña hermosa, ahora es una hermosa mujer cercana a los cincuenta años.

Hicimos tarde el desayuno, pues cuando nos acostamos ya estaba avanzada la noche. Comió poco esa mañana y poco al mediodía, y en la cena siquiera probó bocado. "Estás desganada", le dije con el tono intermedio de una afirmación que es a la vez una pregunta. "Así es", me respondió sin dar mayor importancia al asunto, y luego se sumió en un silencio que quizás duró apenas unos segundos, pero que se me hizo insoportable. Después de dar un sorbo al vino, agregó: "Es que ahora soy antropófaga".

Si oírla decir eso me desconcertó, saber de su particular gusto por los taxistas terminó por escandalizarme. No me pasaba por la mente pensar que estuviera bromeando, pues la conozco lo suficiente para saber que ella no le mentiría a su hermano. La conozco tanto que no me sorprendió cuando me pidió que la ayudara a calmar sus extraños apetitos.

Urdió todo el plan para mí y me proveyó del arma que acabaría con la vida de la presa. Tendría que irme a una de las calles aledañas al puerto y esperar a que pasara algún taxista de mediana edad, no demasiado delgado a fin de que su carne proporcionara alimento para varios días antes de volver a cazar. Entre el puerto y nuestro vecindario el trayecto obliga a pasar por una carretera oscura rodeada de terrenos baldíos, algo perfecto para quien no dispone de la sofisticación de un arma con silenciador.

El deseo de ver a mi hermana satisfecha y el temor a que enfermara a causa del hambre me dieron el valor para subirme al taxi. Era un carro muy viejo, de esos que en su momento tenían la apariencia de una fortaleza rodante y estaban tan bien construidos que podían salir airosos de cualquier accidente. Una época, también, en la que sólo se podía pensar en utilizarlos como taxis para ejecutivos, pues eran vehículos concebidos para los estamentos superiores de la clase media. Uno lucía los mejores modales al ir a una fiesta si veía estacionados afuera varios carros como este. Ahora, envejecido y aquejado de múltiples infamias de la mecánica, no era más que un taxi improvisado, que no pertenecía a servicio alguno más que al provisto por su dueño a los caminantes sin rumbo.

Mientras preparaba el arma, oculta en un bolsillo de mi chaqueta, entablé conversación con la presa y supe que había pasado ya los cuarenta años, era casado y tenía dos hijos. El mayor acaba de ser admitido en la escuela de derecho y el menor, que temprano demostró su patente incapacidad para los estudios, trabaja en el puerto cargando paquetes. Decía sentirse orgulloso de ambos —supuse que no era capaz de admitir su afecto, notablemente superior, por el competente aspirante a abogado— y hablaba con profusión de ellos, de sus noviecitas adolescentes, de su tumultuosa relación con la madre, una mujer fatídica cuyos únicos esfuerzos sinceros se concentraban en estropearles el día a sus hijos y a su esposo.

En cuanto dejó de hablar le conté una falsa historia de mi vida en la que incluí una falsa esposa y unos falsos hijos, pues necesitaba que me sintiera igual a él, que me diera su confianza. A eso le atribuyo el que hubiera frenado sin dudarlo cuando le dije que tenía ganas de orinar. No podía ser más fácil: me siguió y orinó a unos pasos de mí. Cuando me dio la espalda, hice un disparo certero que lo tumbó de bruces a pocos centímetros del taxi. Lo subí en el asiento trasero y lo cubrí con la chaqueta.

Encendí el motor y me quedé sentado al volante unos minutos. Temblaba y ni siquiera podía sostener el cigarrillo. La primera vez que mato a un hombre y las cosas me resultan tan fácil. Sentí temor por mi vida; es sencillo perderlo todo en un instante. Poco a poco volví a la serenidad, o a algo que de manera difusa se le asemejaba, construyendo en mi mente la imagen de la sonrisa de mi hermana.

Di una última mirada a la presa y partí. Era poco más de medianoche y hacía frío, por lo que lamenté no haber llevado una chaqueta adicional. Tomé nota de ello para no equivocarme la próxima vez. Ya bastantes preocupaciones me ocasionaba lo que estaba haciendo como para añadir el inconveniente de un resfrío, el temor a perder el empleo si ese resfrío me obligaba a quedarme en casa un par de días.

Mientras pensaba en estas cosas escuché un ruido muy bajo, aunque intempestivo, en el área del motor. Quise ser optimista y seguí conduciendo, pero una de las agujas del tablero empezó a subir con velocidad y sentí un inquietante olor a plástico chamuscado. Así que detuve el taxi, abrí el capó y me puse a mover cables y mangueras como si mis limitados conocimientos de mecánica pudieran resolver mi situación, hasta que el humo me impidió respirar y tuve que apartarme. Me recosté de la puerta y encendí otro cigarrillo. Esperaba que, al enfriarse el motor, el taxi pudiera llevarme a casa antes de detenerse definitivamente.

Sólo entonces pensé en serio en la particularidad del nuevo capricho de mi hermana. ¿Por qué taxistas? ¿Qué diferencia puede existir entre el sabor de un taxista y el de un campesino, pongamos por caso, que además sería más fácil de cazar? Es decir: más fácil para mí, que aunque podía conducir muy bien, nunca fui afecto a involucrarme en los misterios de las bujías y los carburadores. Me confesé a mí mismo que había escogido a esta presa específica por la ruina que denunciaban la edad y la apariencia del taxi, pues imaginaba que si era lo bastante pobre, los cuerpos de seguridad no se ocuparían demasiado en investigar.

Sabía que nada podía impedir que las cosas empeoraran, por lo que no me sorprendió cuando otro taxi igual de desvencijado, conducido por otro hombre de alrededor de cuarenta años, se detuvo un poco más adelante. El hombre se acercó hasta mí y me preguntó por el taxista; se conocían y, al ver estacionado el taxi a un costado de la carretera, pensó que su colega había sido asaltado.

Aprovechando los retazos de información que mi taxista me había confiado, le dije que había tenido problemas con su esposa, y que aunque sus dos hijos intentaron detenerlo él se escabulló para ir a mitigar su pena cotidiana en uno de los bares del puerto, donde nos encontramos, pues también le dije que lo conocía. Le conté que estuvimos tomando juntos hasta que él se desmayó y, en un destello de virtuosismo, agregué que, como no sabía dónde vivía, había conducido a la deriva, con el hombre ebrio e inconsciente en el asiento trasero, esperando encontrar algún taxista amigo, y que en eso estaba cuando ocurrió la avería.

Me hice de su confianza utilizando nombres propios y relatos que tendrían resonancia en la memoria de cualquier conocido del taxista. Lo convencí de que la mejor manera de resolver la situación era que atara una cuerda de su taxi al de su amigo para remolcarlo hasta su casa. Luego de dar las explicaciones de rigor a quien allí nos recibiera, le pagaría por llevarme y asunto terminado. Él revisó el motor y descubrió que una correa estaba rota, lo que había causado el recalentamiento. Supongo que eso le bastó para decidirse a abrir la maleta de su taxi en busca de la cuerda que necesitábamos.

Nunca pude decirle que no a mi hermana. Me hace feliz imaginar su expresión orgullosa, al recibirme de mi primera jornada de caza cargado con dos presas.

Mientras conduzco el taxi del recién llegado dibujo en mi mente la sonrisa con la que me dará la bienvenida y también sonrío.

ALARMAS

Había llorado tanto que tenía corrido el maquillaje, así que cuando pasaba algún carro bajaba la mirada para no ver mi reflejo en el retrovisor. Pero claro que lo vi: los labios descoloridos y los ríos negros que bajaban desde mis ojos. Recordé a mi tía cuando me decía: las niñas que lloran se ponen feas. Y sonreí, y quizás sonreír me hizo sentir culpable, pues se supone que cuando estás deprimida no sonríes: lloré otro poco.

Mik quiso que me bajara pero me negué, me sentía muy mal y sabía que el bullicio de Los Picadores y la alegría ajena (debí escribir *tan* ajena) me harían sentir peor. Así que les dije: vayan ustedes y bailen y diviértanse que yo los espero. Mi tía trató de convencerme: a lo mejor aquí está el hombre de tu vida y tú aquí muriéndote por dentro. Pero tales argumentos sólo logran incomodarme, pues me hacen pensar que la gente piensa que soy estúpida. A veces estoy de acuerdo: soy estúpida. Mik se impacientaba y le dijo a mi tía: no hay caso, que entre luego si quiere. Me dejaron las llaves del carro para que lo asegurara si cambiaba de idea, y entraron sin mí.

Reconozco que cuando decidí quedarme sola en el carro incurrí en un acto de franca vanidad. Las depresiones, de alguna retorcida manera, suelen revestirse de elegancia. Claudia se deprime: Claudia es profunda. Y sin duda ser profundo es elegante. Una siente ese ardor en el pecho y llora, pero la gente muestra respeto hacia el estado en que una se encuentra: eso en el fondo hace que una se sienta un poco bien. Dentro de lo que cabe.

Supongo que el culpable de todo es Mik. Por los días en que el Beto me dejó yo hacía esfuerzos por no llorar. Tenía ganas de llorar (y de saltar de una azotea y de cortarme las venas), pero me contenía: una no anda por ahí llorando delante de todo el mundo. Entonces una noche mi tía me invitó a salir con ella y Mik. Estábamos también en Los Picadores y mi tía le contó todo a Mik, y Mik me dijo: es preciso llorar las penas para que no nos ahoguen. Y me puse a llorar y tuvimos que irnos a casa.

Desde entonces lloro. Me levanto en la mañana llorando. Me acuesto en la noche llorando. Veo televisión: lloro. En el almuerzo: lloro. Ya no sé hacer nada si no estoy llorando mientras. Y mi tía a veces se ríe y me dice: Claudia, necesito que vayas a comprar papel higiénico pero no llores. Y yo río con ella, pero luego de regreso a casa tengo que abrir el paquete del papel para secarme las lágrimas.

Me acurruqué en el fondo del asiento para llorar en absoluta intimidad. Nunca falta un hombre inoportuno que se acerca a preguntar: le ocurre algo, puedo ayudarla. Y ni siquiera el Beto podía ayudarme: hacía falta una máquina del tiempo que borrara lo ocurrido, no sólo el recuerdo de lo ocurrido sino que lo borrara todo, todo. Que lo ocurrido no hubiera ocurrido nunca: sólo así estaría bien. Mientras tanto, me bastaba con acurrucarme para evitar la inoportuna visita del hombre inoportuno que, es de suponer, nunca falta en el estacionamiento de Los Picadores a las dos de la mañana.

Creo que me quedé dormida y de pronto me sentí extraña: no estaba llorando. Un acto reflejo me hizo abrir el bolso y sacar el celular para revisar si tenía mensajes del Beto: no tenía, y volví a llorar. Habría llorado igual si hubiera tenido. Disfruté el regreso al llanto y aquello me pareció enfermizo, así que encendí un marlboro y traté de asfixiar las lágrimas con humo.

Entonces me asaltó el hastío o quizás la sensatez: aunque tenga el maquillaje muy llorado iré a buscar a Mik y a mi tía para que me lleven a casa. Siempre he tenido como norma: las tareas rápidas duran menos que un cigarrillo. Puse el marlboro en el cenicero del carro y me bajé imponiéndome el desafío de estar de vuelta antes de que se apagara. Pero cuando ya estaba a punto de entrar a Los Picadores volví a sentir vergüenza de mis lágrimas y regresé al carro.

Recuperé el marlboro y terminé de fumarlo. Cuando dejé la colilla muerta en el cenicero sentí: derrota. Tuve una idea: haré sonar la alarma del carro. Oprimí el botón del control remoto y tras el breve silbido de la activación abrí y cerré la puerta: la alarma sonó. Pensaba que pronto aparecerían Mik y mi tía alarmados, pues para qué otra cosa puede servir una alarma. Pero no: los minutos tenían de todo menos apariciones salvadoras, y la alarma se hacía insoportable.

En algún momento dejó de sonar: volví a llorar. El Beto me dejó, mi tía y Mik estaban en Los Picadores, yo quería estar en casa: todo eso me hacía llorar. Me dije: si no busco ahora mismo a mi tía y a Mik amaneceré aquí llorando. Encendí otro marlboro y lo puse en el cenicero. Abrí la puerta olvidando que la alarma estaba activada y empezó de nuevo. Me detuve a un metro del carro esperando por última vez que salieran, pero pronto comprendí que tendría que ir a buscarlos o moriría: llorando o sorda.

Me acerqué al gran ventanal de Los Picadores y busqué con la vista a mi tía y a Mik. Los vi en medio de la batahola bailando sobre litros de alcohol y pensé: es incómodo que vaya a buscarlos, pero mi desgracia lo vale. Sé bien que mi tía me aprecia y supongo que también Mik: quien me aprecie le dará su justo valor a esto que me ocurre y reconocerá sin duda que es vital para mí regresar a casa: aunque sea sólo para llorar.

La luz de un carro pasó a mi través y me di vuelta. En el lugar en que estaba era sencillo hacerse invisible, pues había arbustos y carros y noche. Saberlo me resultó muy útil: del carro que llegó se bajó el Beto. Dos amigos lo esperaban. Empezó a caminar en dirección a la puerta de Los Picadores y sentí pánico: mi manto de invisibilidad dejaría de funcionar si él se acercaba.

Pero entonces notó el carro de Mik: más propiamente, notó que sonaba la alarma del carro de Mik y fue hacia allá. Supongo que quiso ostentar sus cualidades cívicas revisando que todo estuviera bien. Aunque sentí el impulso de lanzarme a sus brazos, recordé los ribetes humillantes de lo ocurrido y decidí mantenerme oculta. Repasé el lugar con la mirada: mi única escapatoria era que me tragara la tierra o que me subiera a un taxi aburrido que esperaba pasajeros en el flanco derecho del estacionamiento.

Caminé hacia el taxi con prisa pero sin hacer ruido: no sabía quiénes eran los que esperaban al Beto y si alguno me conocía quizás le diría que yo estaba allí. Mis senos, sin ser grandes, atraen a los hombres: me aseguré, desbordando el escote, de que se ofreciera una vista regular de sus formas, y en voz muy baja le pregunté al taxista si podía ayudarme. Me subí al asiento trasero y le expliqué mi problema: lloré otro poquito y el taxista me dio un pañuelo y eso me enterneció: sonreí.

El Beto fisgoneó alrededor del carro de Mik. Quizás vio el marlboro que aún debía estar consumiéndose en la soledad del cenicero y pensó: Claudia y sus marlboros. Después de lanzar una mirada exploratoria por el estacionamiento se sumergió en la multitud que bailaba en Los Picadores. Más tarde salió seguido por Mik: me buscaban. Me agazapé en el asiento del taxi y los vi hablar.

Mik es un hombre inteligente y estoy segura de que estaba seguro de que yo estaba cerca. Además aún tenía sus llaves conmigo y sé que sabía que no sería capaz de irme sin devolvérselas. Debió decirle cualquier cosa al Beto para disuadirlo de buscarme y pronto se despidió y regresó al bullicio. El Beto miró la noche (y su gesto me pareció tan teatral) y sacó su celular: puse el mío en silencio por si se le ocurría llamarme: me llamó. Todavía tenía identificado su número con la palabra amor: sollocé mientras el celular me gritaba en silencio.

Volvió con sus amigos y arrancaron. Sentí curiosidad: ¿qué camino toma un hombre cuando una se esconde? Sospecho que al taxista no le sorprendió mi medida desesperada: encendió el taxi y aceleró hasta que se ubicó a una distancia prudente del otro carro.

Nos internamos en la ciudad. Pregunté al taxista si podía fumar: me pidió un marlboro. Unas calles más adelante perdí de vista el carro, pero el taxista me tranquilizó: fume, yo manejo. Me eché hacia atrás y no pude contener uno de esos suspiros accidentados que sobrevienen después de haber llorado mucho.

Mientras esperábamos que cambiara la luz de un semáforo vi en la acera a una pareja que discutía. Alcancé a entender algunas palabras: desconsiderado, necia, nunca. De pronto él se dio la vuelta y se alejó tras la esquina, y ella me miró: por un instante me pareció que nuestras miradas encontradas se apoyaban la una a la otra. Lloré. El taxista también me miraba por el espejo retrovisor, pero su mirada era escurridiza y no se enfocaba en mis ojos.

Habíamos hecho un rodeo innecesario por el centro: finalmente el carro donde iba el Beto se detuvo ante la puerta del Mirador. El taxista se estacionó unos metros más atrás, en el lado opuesto de la calle, y pensé: soy una estúpida. Desde su ceño fruncido el Beto me había dicho semanas antes: no quiero volver a saber de ti. Por mi parte lloraba y le gritaba: te odio. Y ahora él iba a buscarme y yo me ocultaba sólo para seguirlo en secreto.

El taxista salió de pronto de su burbuja de discreción profesional y me dio un golpe de realidad: no se bajan. En efecto, los dos amigos del Beto que iban en el asiento delantero estaban vueltos sobre el respaldo y parecían hablar con él. Luego se bajaron y entraron al Mirador, dejándolo solo. Tenía la cabeza gacha y creí percibir un débil destello: me estaba llamando. Con la yema de mi pulgar acaricié la palabra amor en la pantalla de mi celular y volví a llorar. Me dije: estúpida. El taxista me pidió otro marlboro.

La música que salía del Mirador se confundía con los ruidos de la calle: el taxista y yo sólo esperábamos. Al principio pensé que los amigos del Beto saldrían en unos minutos, pero no fue así. Había gente en la calle y algunos miraban al Beto en el asiento trasero del carro: lo miraban con recelo o compasión o al menos yo lo habría mirado con compasión, pues soy estúpida.

Recordé algo que me había dicho el Beto poco después de conocernos: Claudia, tú y yo somos tan parecidos. Cuando me lo dijo supuse que se trataba de alguna de las estratagemas de seducción del legado que el género masculino se transmite de generación en generación. Recuerdo que pensé: el Beto piensa que soy estúpida.

Fue entonces cuando escuché el portazo y la alarma. El Beto estaba sentado de manera que podía verlo de perfil y comprendí que por alguna razón no quería entrar a buscar a sus amigos. La pantalla de mi celular se encendió una vez más: habría querido responder para decirle: es en vano, Beto, no van a salir. El ruido monótono de la alarma se hacía insoportable. El taxista me miró inquisidor y la noche se tornó grande y cruel. Le pasé un marlboro y le dije: regresemos a Los Picadores, si es tan amable.

ESTOCOLMO

Que no sea eterno porque es llama
pero que sea infinito mientras dure.
Vinicius de Moraes.

A Marinés

El Avispón acababa de caer en un bache y Gerónimo aventuró la teoría de que se trataba de la distribución. Sacó una linterna de debajo del asiento, abrió el capó y vio que los cables estaban bien. Entonces nos bajamos el Tuerto y yo. Revisamos las conexiones de la batería, zarandeamos el martillo del arranque y propinamos golpecitos en varias piezas escogidas al azar, dada la ignorancia general en mecánica.

Sentado dentro del Avispón, Paúl sugirió, con la lengua ya algo atascada pues había estado bebiendo desde temprano, que se fijaran si había gasolina en el filtro. Paúl podía volverse lento y repetitivo cuando se embriagaba pero no perdía la lucidez, y en efecto fue el filtro lo que nos hizo caer en cuenta de que estábamos sin gasolina. Hacía años que el Avispón no indicaba el nivel del tanque.

Nos pusimos en campaña. El Tuerto se fue con Gerónimo a llenar la garrafa de gasolina y yo me fui con Paúl a comprar unas cervezas. El camino era oscuro y en algunas partes un verdadero lodazal, pero llegamos sin problemas. Mientras caminábamos Paúl me habló por primera vez de Estocolmo, a la que definió como el gran amor de su vida; yo recordé varias de las otras veces que habló así de una mujer. Me contó que ya hacía un tiempo que no la veía, pues simplemente un día no la consiguió en el trabajo ni en la casa, y los días sucesivos siguió siendo lo mismo hasta que una voz de mujer le dijo por teléfono que estaba de viaje.

Llegamos al Avispón antes que el Tuerto y Gerónimo, y nos sentamos sobre el capó. Creo que eran como las once de la noche. "No lo podía creer cuando la conocí", dijo Paúl refiriéndose a su Estocolmo. "Era tan transparente, le dije, que si la miraba fijamente a los ojos podía mirarle la nuca al tipo que estaba sentado en la barra, detrás de ella. Ella se reía de esas cosas y riéndose era como luminosa, como si brillara, como si fuera a encenderse ahí mismo, frente a mí".

Según parece, esta Estocolmo sí había logrado darle a Paúl donde era. En realidad tenía un nombre muy común, de hecho una mezcla entre dos nombres muy comunes, pero como sus ojos eran verdes de un verde vegetal, y su piel era blanca de un blanco lácteo, y su melena dorada le caía hasta el final de la espalda, a Paúl se le antojó que parecía sueca y ya nunca más la llamó por su nombre. Mientras la describía me era imposible evitar reírme de la forma como la idealizaba. Decía que hasta conocerla no sabía lo que era una relación madura, y que su principal virtud era la identidad plena que los unía. "Estocolmo nunca me reclamó nada, nunca me exigió nada; vivimos en un estado de completa felicidad en el que cada uno tenía su propia vida y ésta no afectaba a la del otro", dijo. Agregó que estaba seguro de que un día ella volvería para explicarle por qué había desaparecido de repente. Sí, Paúl, esa vuelve.

Al fin llegaron Gerónimo y el Tuerto y con algún esfuerzo logramos revivir al Avispón. Paúl se fue al asiento trasero y yo aproveché para preguntarle a los otros si conocían a la tal Estocolmo. "Nadie la conoce", me dijo Gerónimo muerto de risa. Según ellos, era una invención de Paúl, siempre tan lelo. "No puede ser real", decía el Tuerto, "una mujer así como él la describe no existe". Les dije que quizás sí era real, pero que él la idealizaba. Ambos movieron la cabeza negativamente. "No", dijo Gerónimo; "espera que él te cuente y sacas tus propias conclusiones".

El Little tenía pocas mesas desocupadas y todos miramos como por instinto hacia la zona atendida por la Guacharaca. Encontramos una mesa al borde del bar, casi debajo de la santamaría. Yo protesté porque desde el puesto de comida de la acera de enfrente llegaba un fuerte olor a cebolla, pero ni siquiera me escucharon. Gerónimo alzó las manos para dar una palmada en procura de la atención de la mesonera, pero ésta ya venía con cuatro cervezas y la cuenta metida en un vaso plástico. El Tuerto lanzó su acostumbrado chiste de que se llevara el vaso porque todos tomábamos directo de la botella, le dio una nalgada a la Guacharaca y bebió el primer trago.

Paúl llamó mi atención dándome unos golpecitos en el codo. "Esa mujer pensaba siempre como yo pensaba, decía lo que yo estaba a punto de decir, miraba las cosas con el mismo cristal con que yo las miraba, y viceversa, me decía que yo pensaba como ella, decía lo que ella estaba a punto y miraba todo como ella". Me clavaba los ojos como esperando mi inmediata aprobación, que presto le daba asintiendo con la cabeza. Prosiguió su cuento, y cada cierto tiempo me preguntaba: "¿Tú has tenido alguna vez una mujer como mi Estocolmo, alguna vez has tenido una mujer que despida un hálito esotérico, alguna vez, como mi Estocolmo?". No, Paúl, nunca, una mujer como tu Estocolmo sólo se ve en tu enrevesado cerebro, pensaba yo.

No tardó en llegar un vendedor ambulante, un hombrecillo bigotudo y desgarbado con artículos diversos atados a varias láminas de cartón. Paúl fue al baño, el

Tuerto se puso a hacerle muecas con la lengua a la Guacharaca y Gerónimo y yo escuchamos la ametralladora parlante que teníamos enfrente. Vendía alicates, destornilladores, candados, destapadores, enchufes múltiples, cortaúñas, viseras, encendedores, llaveros, afeitadoras, calculadoras y otros cachivaches, y le quedaban en un bolsillo dos mapas viales que estaba rematando a mitad de precio. Gerónimo lo miró divertido y le preguntó si tenía condones. Yo pensé que el hombre iba a sacar un paquete de la gorra, pero para nuestra sorpresa se ofendió y empezó a increparle a Gerónimo que su burla se debía a que él creía que su trabajo no era honesto. Dijo tres o cuatro cosas más y lo despaché sin mayores protocolos.

Me di cuenta de que Paúl había regresado porque me tomó del brazo y empezó otra vez con el tema. La Guacharaca llegó con otra ronda de cervezas y al escuchar el palabreo monótono me miró sonriente y se burló de Paúl. "Esos amigos tuyos... ¿Todavía no has hallado cómo quitártelo de encima?", me preguntó y, antes de que pudiera responderle alguna cosa ingeniosa, lanzó su carcajada estentórea que inundó todo el Little.

Paúl continuó contándome que su relación con Estocolmo había sido la única verdaderamente perfecta de todas las que había tenido en su vida. Nunca tuvieron un desacuerdo, nunca discutieron, ni siquiera hubo un reproche si uno de los dos se retrasaba en una cita. "Le tenía confianza, pero confianza como se debe, una verdadera confianza", repetía sin cesar. "Si ella hubiera llegado un día y me hubiera dicho que tenía otro hombre, te juro que no me habría molestado la decisión que ella tomara, fuera que debiera apartarme o que debiera estar dispuesto a aceptar un triángulo. No me habría importado, te lo juro, no me habría importado, para nada".

Entonces volvió a hablar del álbum. Cada cierto tiempo, Paúl decía que guardaba ciertas imágenes en un álbum que custodiaba en las circunvoluciones de su cerebro. Afirmaba que esas imágenes lo acompañaban a donde quiera que fuera, y que las traía al presente cada vez que se sentía nostálgico. "Estocolmo", me dijo, "me dio varias nuevas imágenes para el álbum. Pero la más inquietante, la que no logro despegar de mi mente, es la del sol de su cabello". Me explicó que la última vez que estuvieron juntos acomodó su melena multitudinaria en forma de círculo, como si fuera un sol de finas hebras de trigo, y quizás exageró cuando dijo que el cabello caía por los bordes de la cama.

La Guacharaca trajo más cervezas y todos, excepto Paúl que seguía hablando, nos quedamos en silencio mirando sus formas bajo la blusita roja, que destacaba sin pudor las tetas, apiñadas en el centro del pecho por un sostén bien apretado. Fue poniendo las botellas sin prisa en la mesa, gozando la expectación de su público embobado. Primero nos sirvió a Paúl y a mí y luego fue al otro lado a servir las del Tuerto y Gerónimo. Cuando se inclinó entre ellos dos, el Tuerto alargó sus mandíbulas y le mordió uno de los pezones, que se delineaban claramente bajo la blusa. La Guacharaca abrió la boca todo cuanto pudo en una mueca intermedia entre la indignación, la sorpresa y la risa. "Tuerto, eres un abusador", le dijo al tiempo que le daba una sonora palmada en la espalda. Dos minutos más tarde traía la cuenta y nos decía que el dueño nos pedía que nos retiráramos.

Nos fuimos de mala gana y alguien propuso que hiciéramos una parada en el Mirador. Allí atendían mesoneros, no mesoneras, pero iban muchas mujeres solas en busca de compañía. Yo aplaudí la idea a la espera de que Paúl se sacara a la fulana Estocolmo de la boca, pero fue en vano. Entró al baño cuando llegamos, pero apenas volvió a la mesa la cantante del Mirador se acercó y le preguntó por Estocolmo. "Está de viaje", dijo él en un tono melancólico. Ella sonrió e hizo un gesto que yo interpreté como de apoyo en la resignación.

"Venía muy seguido aquí con Estocolmo", me dijo entonces Paúl y, señalando un lugar indeterminado de la barra, continuó: "Nos sentábamos de aquel lado y nos olvidábamos del mundo. No sé si lo has vivido, realmente no lo sé, pero hay algo especial cuando estás con alguien en medio de un gentío y sólo escuchas, aunque estés en medio del gentío, sólo escuchas su respiración, sus susurros, el incendio chiquito que ocurre en tus dedos cuando la acaricias". Me pareció que Paúl habló durante décadas.

Cuando terminó el set de la cantante vi que se dirigía a la barra por una de las puertas laterales. Le dije a Paúl que iba al baño y salí por otra puerta, adelantándome, y la intercepté. Me saludó con un cálido apretón de manos y sin perder tiempo le pregunté si conocía a Estocolmo. "Realmente no", me contestó ella. "Las veces que el señor Paúl llegó a traerla yo no estaba cantando aquí, porque era mi día libre o porque estaba enferma, pero varios amigos clientes del local me hablaron de ella. Desde entonces siempre le pregunto por ella, porque veo que se le ilumina el rostro cuando se la menciono". Ambos miramos a Paúl desde lejos, ajeno a la conversación entre Gerónimo, el Tuerto y unas amigas que venían llegando y que se acercaron a ellos. "Sí puedo decirle que desde que dejó de venir con su Estocolmo está muy melancólico, y siento como que se emborracha más rápido". Por último me miró como si hubiera cometido una imprudencia y, antes de despedirse apresuradamente, me dijo: "No sé, quizás sólo sean cosas mías".

Las impresiones de Gerónimo y el Tuerto sobre la supuesta inexistencia de Estocolmo terminaron por inquietarme. Le pregunté a dos de los mesoneros del Mirador y me dijeron que estaban tan ocupados que les era difícil fijarse en clientes específicos, pero que si le preguntaba al que atendía en la barra era probable que pudiera darme algún dato. El hombre fue igual de impreciso: "El señor Paúl ha venido con muchas mujeres, no creo que recuerde a una en especial". En ese punto pensé que Estocolmo en efecto era irreal o que había sido una chica demasiado elusiva.

Fui al baño, me detuve a hablar con un conocido y, cuando regresé a la mesa, la cantante había dado inicio a un nuevo set y Paúl estaba solo, encorvado y dándole golpecitos al vaso de cerveza con su dedo índice. Miré hacia la pista y divisé a Gerónimo y el Tuerto bailando con las amigas a las que estaban saludando minutos antes. Entonces se me ocurrió que lo mejor para que Paúl dejara el tema era que bailara con alguien. Me levanté y observé la gente de las mesas hasta que vi, sentada con unos amigos al final del local, a Ruth, una colombiana recién divorciada a la que conocía de mis tiempos en la agencia. Fui hasta allá a convencerla de que bailara con Paúl con el argumento de que tenía problemas de amores, y ella accedió de inmediato.

Llegué hasta Paúl llevándola de la mano, le di un toque en el hombro y él levantó la cabeza. "Paúl", le dije con la mejor de mis sonrisas, "conoce a Ruth, quiere bailar contigo". Paúl se levantó, le dio la mano con displicencia y le dijo su nombre sin mucho entusiasmo. Ruth lo miró sonriente, apretó su mano y lo atrajo hacia ella. "¿Vamos?", lo invitó suavizando su voz, aunque sin ocultar su acento. Paúl me lanzó una mirada en la que, sin palabras, me dijo que comprendía cuál era mi plan, y me lo reprochó. Yo fui a otra mesa y saqué a bailar, aliviado, a una morena a la que había visto desde que entré.

Bailaron aparatosamente. Paúl estaba muy borracho y hablaba con Ruth por lo bajo. Supuse que se disculpaba por haberla pisado o algo así. Cuando terminó la canción me despedí de la morena, que ya se marchaba, y fui a la mesa, donde ya estaban sentados Gerónimo y el Tuerto. Ruth condujo a Paúl hasta su silla con alguna dificultad y, cuando logró sentarlo, se me acercó y me dijo con una expresión grave: "Lo de tu amigo es serio... Yo diría que irreparable". Comprendí que también a ella le había hablado de Estocolmo.

Tan sólo esperó a que Ruth se alejara para empezar de nuevo. "Estocolmo me adoraba, realmente me adoraba", me dijo, y yo miraba para todos lados buscando una excusa para fugarme. "Yo, que soy tan feo, que mi único encanto es no ser un chino, era adorado por esa sueca. Le preguntaba qué le gustaba de mí si era tan feo, porque yo soy feo de verdad, pero feo, y ella me decía que no, que era lindo, me decía: 'Todo tú eres lindo'; imagínate, yo lindo. Y hasta se molestaba cuando yo insistía con aquello de que soy feo, se molestaba, se molestaba, ¿sabes?".

Creo que fue esa noche cuando visité el baño con más frecuencia en toda mi vida. Después de que se marchó la morena me costó mucho conseguir otra pareja de baile, y tuve que ir hasta dos veces por cada cerveza que me tomaba, impaciente con Paúl que no dejaba de hablar de Estocolmo. Gerónimo y el Tuerto se hacían los desentendidos; yo miraba hacia atrás buscando a Ruth pero siempre la veía bailando entre la multitud, así que no me quedó más remedio que aguantar las historias relamidas de Paúl durante horas.

El Mirador se fue vaciando y en cierto momento quedamos sólo algunas personas. Yo pedí la cuenta y Gerónimo protestó. "Todavía no se han acabado las mujeres", dijo mientras Paúl me halaba una manga de la camisa para seguir contándome sobre el amor de su vida. El Tuerto abrió sorprendido su único ojo. "¿Quién queda por ahí?", preguntó dirigiéndose a Gerónimo. "No vayas a voltear de golpe", le dijo Gerónimo, "pero al final de la barra hay dos mujeres solas". El Tuerto miró hacia allá con cautela, y cuando volvió su rostro hacia Gerónimo le dijo: "Pero son dos viejas". Gerónimo lo convenció de invitarlas a salir para tomarse unas cervezas en otro sitio, y yo rogué que no aceptaran, porque eso habría significado devolverme a casa en taxi y, para colmo, con Paúl.

En unos segundos elaboraron su plan y lo pusieron en marcha. Gerónimo fue al baño y el Tuerto se dirigió a las mujeres. Yo miré a Paúl, que seguía con su cháchara, y cuando volví a fijar la vista en la barra vi al Tuerto hablando con dos hombres. Volteé hacia las puertas laterales y vi pasar a Gerónimo directo a la barra. Cuando llegó cerca del Tuerto, se quedó atónito, como reprendiéndolo en silencio, y puso sus dos brazos sobre los respaldos de las sillas de las mujeres. Entonces lo escuché claramente decir, mientras señalaba al Tuerto con un gesto de su boca: "Mi amigo se pregunta... qué demonios hacen dos damas tan hermosas solas en una barra". No escuché lo que dijeron las mujeres, pero las vi señalando a los dos hombres con los que hablaba el Tuerto, que empezaban a levantarse de sus sillas mirando a Gerónimo con malignidad. Entonces comprendí que debía pagar la cuenta y sacar de ahí a Paúl de inmediato.

Por fortuna no ocurrió nada. Gerónimo y el Tuerto subieron al Avispón muertos de risa y agradeciéndole a

Dios que los maridos no eran tipos violentos. Gerónimo propuso tomarnos las últimas en Las Mercedes, el único bar abierto a esa hora. "Ese es un bar de mierda", dijo Paúl saliendo de su sopor, y todos celebramos que al fin había abierto la boca sin referirse a Estocolmo.

Eran más de las dos de la mañana cuando llegamos a Las Mercedes, y sin embargo estaba lleno. Gerónimo fue al baño apenas entramos y una de las mesoneras se acercó a nosotros para preguntarnos qué queríamos. El Tuerto pidió cuatro cervezas y una ración de queso que nos trajeron en un par de minutos. El ambiente de Las Mercedes terminó favoreciéndome, porque aunque Paúl seguía hablando sin cesar de Estocolmo, la iluminación carmesí, los borrachos tropezando con nuestra mesa y las puertas que se abrían a cada instante robándonos la atención me permitían desprenderme un poco de la obligación de escucharlo.

De pronto una de las mesoneras se acercó con cuatro cervezas y todos, salvo Gerónimo, nos quedamos mirándola con extrañeza. Las primeras que nos habían traído estaban aún por la mitad. La mujer protestó y dijo que Gerónimo le había pedido la ronda cuando venía del baño. "Señorita", dijo el Tuerto tratando de dominar los temblores de su lengua, "la culpa la tuvo usted que no se cer-cio-ró de que la mesa ya estaba servida". "¿Y ahora a quién le cobro esta factura?", fue todo lo que dijo la mujer. Gerónimo habló con vaguedad de un malentendido y se dirigió a la barra a arreglar el problema con el dueño, quien entendió perfectamente, aunque la mesonera quedó bastante incómoda por el asunto.

Después del incidente, Paúl intentó reiniciar su eterna descripción de Estocolmo, pero ya yo no estaba dispuesto a seguirlo soportando y le pedí que dejara el tema. "Es que no te he contado, todavía no te he contado cómo nos conocimos", balbuceó mirándome a los ojos. "No me interesa, Paúl, ya estoy de verdad cansado de la historia". Tuve que alzarle la voz cuando insistió. Levantó su mano derecha como si fuera a hacer un juramento, la bajó hacia su pecho y planeó el aire con ella, como si indicara que todo había terminado y que no seguiría hablando, y tomó un cubito de queso. Su boca se torció, sus ojos se entrecerraron, fijos en la mesa, y se abrazó en silencio a la botella ya casi vacía mientras las migajas de queso le caían de las comisuras de los labios. Respiré. Gerónimo y el Tuerto me miraban, burlones.

Dejamos a Paúl durmiendo su sueño entrecortado y salimos a bailar con tres de las mesoneras. El Tuerto volteó a la suya y se puso a bailar contra su espalda, pero tuvo que ir a sentarse cuando empezó a agarrarle las tetas y la mujer protestó. Terminaba de bailar con la mía y escuché a aquella hablando con la del incidente de la factura. En su andanada la oí decir que era una mesa de abusadores, que le habían agarrado sus partes, y la otra aprobaba peligrosamente. Pensé que debíamos salir de ahí en el acto.

Cuando terminó la pieza y Gerónimo y yo regresamos a la mesa, había una negra bajita, horrible, sentada al lado de Paúl, e intentaba revivirlo. El Tuerto estaba absorto mirando a las mesoneras que estaban en la barra. Tomé una silla de una mesa vecina y me senté al lado de la negra, que de inmediato volteó hacia mí con el cuello tambaleante. Estaba borracha, o drogada, y llevaba una falda corta de color blanco. "¿Y tú cómo te llamas?", me preguntó articulando las palabras con dificultad. No le dije mi nombre, en su lugar le dije que era tauro y le pregunté de qué signo era ella. Era capricornio, y me dijo que el suyo y el mío eran signos compatibles, aunque me pareció que, como yo, no tenía idea de lo que estaba diciendo. Antes de darme cuenta de lo que pasaba la negra había posado una mano sobre mi pierna derecha y hablaba de quién sabe cuántas cosas. Yo me animé y también me puse a tocar una de sus piernas descubiertas.

Tenía la piel más tersa que he tocado en mi vida. Cuando llegué a esta certeza no pude evitar mirar sus piernas con avidez. Me dijo que yo debía gustarle demasiado, pues ella no dejaba que cualquiera le tocara sus piernas. "Es lo que pasa cuando los signos son compatibles", dije con una sonrisa, aunque en realidad me estaba riendo de ella. Gerónimo me tocó el hombro e hizo una seña con la boca, indicándome que mirara hacia atrás de mí. Una mujer regordeta y de rasgos hombrunos miraba a la negra con reprobación. Un instinto me impulsó a quitarle la mano de la pierna y a conducirla hasta mi botella. La negra se levantó y se fue, sin decir nada, con la mujer que la reclamaba.

No había pasado un minuto cuando volvió a abrirse la puerta de Las Mercedes. Gerónimo supuso que era de nuevo la negra y me dijo con una sonrisa: "Vienen a buscarte". El Tuerto negó con la cabeza, abriendo bien su ojo y arqueando las cejas. "Esa definitivamente no es la negra", dijo con estupor. Yo miré hacia la puerta y la vi entrar.

Tenía, en efecto, una larga cabellera rubia hasta el final de la espalda, y aunque la poca luz impedía ver los detalles, podría jurar que vi el verde vegetal de sus ojos dominando la escena. El pecho me hervía cuando, por fin, hablé.

—Estocolmo —dije entonces, pretendiendo que lo hacía en voz baja.

La mujer volteó hacia nosotros, nos miró sin reconocernos y se detuvo en Paúl, de cuyos labios goteaba un fino hilo de saliva. Por un segundo me pareció que la música, los gritos de los borrachos y los reclamos de las mesoneras se detenían y sólo escuché la voz genital de la rubia cuando pronunció el nombre de Paúl, mientras ponía una mano sobre su hombro izquierdo. Él despertó entonces como un títere, elevado desde arriba por hilos que nadie veía, y miró la mano blanca cerca de su rostro. Hizo un gesto indefinible y se levantó de su silla. Cuando miró a la rubia, dijo algo con voz muy baja, y yo creí reconocer bajo el retornante bullicio la palabra "Estocolmo". Ella volvió a mencionar su nombre y se abrazaron.

Puedo decir que no brillaba ni despedía un aroma esotérico. Era una rubia hermosa, pero nada fuera de lo normal. Sin embargo, al verla abrazando a Paúl, al ver cómo lo conducía hacia la puerta y nos dirigía, ya a punto de salir, su mirada de camaradería, comprendí a Paúl, comprendí su empeño en que su historia fuera escuchada, comprendí la única verdad que vale la pena comprender como si ante mí se hubiera producido una revelación; comprendí que es tan sencilla esa cosa grande del amor, es tan de uno y tan de todos al mismo tiempo, que realmente es innecesario explicarla.

ÍNDICE

Esta edición de *Uno o dos de tus gestos,*® de Jorge Gómez Jiménez, fue realizada por FB Libros® en la ciudad de Caracas en el mes de mayo del año dos mil dieciocho.

Made in the USA
Lexington, KY
07 September 2018